ADIEU PATRON

DEVENIR RENTIER EN 18 MOIS GRÂCE À L'IMMOBILIER

ROMAIN CAILLET

ADIEU PATRON

DEVENIR RENTIER EN 18 MOIS GRÂCE À L'IMMOBILIER

PACA ÉDITIONS
www.pacaeditions.fr

AVERTISSEMENT

Cet ouvrage se veut être le récit d'un investisseur particulier qui souhaite partager son expérience. Il appartient à chacun de se faire sa propre opinion. Les propos de l'auteur ne peuvent être considérés en aucun cas comme ceux d'un professionnel de l'immobilier, conseiller en patrimoine, juriste ou fiscaliste. Le lecteur s'engage donc à se référer à l'avis d'un spécialiste en cas de doute sur ses propres investissements.

© PACA ÉDITIONS, 2017

ISBN 979-10-97216-00-9

TABLE DES MATIÈRES

Pourquoi vous voulez et vous devez investir.

Qui suis-je ? Mon parcours. De l'expulsion à 18 biens immobiliers. Comment j'ai découvert le monde des « finances personnelles ».

Réussir sa vie : *La Fameuse Question : Qu'est-ce que réussir sa vie ? Ce que pense la majorité des gens. La vie que vous devez imaginer. Qu'est-ce qu'acquérir sa liberté ? Pourquoi vous devez acquérir votre liberté.*

Croire en une autre vie et l'imaginer : *Comment trouver les références qui permettent de se construire une vie libre et épanouie.*

Toujours penser en investisseur : *Comment une banale discussion de cinq minutes aurait pu me permettre de devenir indépendant financièrement. Pourquoi ce ne fut pas le cas. Pourquoi ce le sera pour vous.*

Travail salarié = Appauvrissement : *Pourquoi et comment un emploi salarié ne peut pas vous permettre de devenir indépendant financièrement. Pourquoi il faut que vous arrêtiez de travailler pour l'argent et que l'argent commence à travailler pour vous.*

Continuer à travailler pour rien ? : *L'importance du taux horaire et du CDI. L'erreur à ne pas commettre pour vraiment devenir rentier. Travailler avec un but.*

L'Importance d'investir : *Comment se servir du salariat pour obtenir le pouvoir d'investir. Pourquoi la sécurité se trouve dans l'indépendance financière. Comment l'indépendance financière nous permet de gagner plus sans travailler plus.*

L'investisseur, c'est celui qui investit : *Comment j'ai fait pour* *investir alors que j'étais encore étudiant. Pourquoi il est inutile de se chercher des excuses pour passer de la théorie à la pratique. Pourquoi et comment vous pouvez vous former rapidement à l'investissement immobilier. Pourquoi vous bénéficiez de plus de temps que vous ne le pensez... à condition de ne pas le perdre.*

Pour réussir, il faut dépasser les peurs qui nous bloquent : *Où en êtes-vous dans votre parcours d'investisseur ? Qu'est-ce qui vous bloque ? Qu'est-ce qui vous empêche d'enchaîner les investissements ? Pourquoi il ne faut pas écouter ceux qui n'ont jamais investi. Comment affronter ses peurs limitantes. Par quoi les remplacer. Quelques raisons de passer de la théorie à la pratique.*

Box de garage : *La Voie Royale : Pourquoi travailler comme un forcené et multiplier les emplois ne sert à rien pour obtenir un crédit à la banque. Pourquoi un garage est le meilleur moyen de commencer à investir.*

Les Fondamentaux du box : *Les règles à connaître avant d'investir dans un garage. Différence entre un garage et un appartement.*

Un cadre légal très avantageux : *Tout ce que vous devez savoir sur ce que dit et ce que ne dit pas la loi à propos de la location de garages.*

Mon premier garage : Ma première leçon : *Comment j'ai trouvé mon premier garage. Ce que j'ai fait. Ce que je n'aurais pas dû faire. Ce que vous devez faire pour réussir votre prochain investissement dans un garage.*

Dans la peau d'un investisseur : *Comment j'ai trouvé mon premier locataire. Pourquoi ce n'était pas la meilleure des manières.*

Revenus automatiques : *L'effet de gagner de l'argent sans travailler. Une étape fondatrice dans la vie d'un investisseur.*

Les Bénéfices de mon premier investissement : *Ce que mon premier garage m'a apporté personnellement. L'effet produit sur ma personnalité. Quand commencer ? Comme il est rapide d'investir !*

Un autre rapport à l'argent : *Une autre manière de calculer comment gagner de l'argent indéfiniment.*

La Malice de l'investisseur : *Une autre vie est possible quand on a réussi ses investissements. Un exemple de comment ce qui était autrefois une pure dépense peut se révéler un investissement très rentable.*

La Solitude de l'investisseur : *Pourquoi un investisseur doit parfois se taire et souvent écouter. Comment cette réalité m'a permis de réaliser mon deuxième investissement.*

Discussion entre amis : *Si vous lancez des pistes, vos amis vous aideront à investir.*

Garage = Tranquillité : *Quand la surprise, c'est qu'il n'y en a pas.*

Jamais un sans trois : *Pourquoi le meilleur moment pour investir, c'est maintenant.*

Techniques de professionnel : *Une bonne affaire n'est pas un hasard. Comment je me suis amélioré dans la recherche de la bonne affaire. Comment comprendre le vendeur.*

Techniques à connaître – Techniques d'investisseur : *Que faire lors d'une visite ? Comment se comporter face au vendeur. Quelles questions poser.*

Une bonne affaire pour cinq raisons : *Les quatre raisons qui m'ont assuré du bien-fondé de mon investissement.*

Mieux que le PEL : *Pourquoi ces deux garages étaient mieux que le Plan Épargne Logement. Pourquoi j'ai clôturé immédiatement celui-ci. Quels placements garder ? Quels placements ouvrir ?*

L'Inutilité des flyers : *Pourquoi il est inutile d'imprimer des flyers et de faire la tournée des boîtes aux lettres pour trouver des locataires.*

Se créer sa propre augmentation : *Comment je me suis constitué plus qu'une augmentation – un véritable avancement de carrière – avec trois garages seulement et sans bénéficier d'un emploi stable pour cela.*

La Nécessité du crédit : *Avantages et désavantages d'acheter comptant. Pourquoi la solution passe par le crédit. Le crédit, souvent seule possibilité du débutant.*

L'Effet de levier : L'Atout numéro un de l'investisseur : *Idées reçues sur le crédit. Pourquoi il est nécessaire de les balayer. L'importance de l'effet de levier. Pour bien comprendre l'effet de levier : l'explication la plus simple qui soit.*

La solution est autour de nous : *Comment se débarrasser de tous ses blocages. Pourquoi vous avez peut-être déjà eu l'occasion que vous cherchez sans cesse. Pourquoi vous l'avez toujours.*

Impressionner le banquier : *Comment je me suis constitué une situation idéale afin de décrocher un prêt à la banque pour financer mon quatrième investissement alors que d'autres se retrouvent bloqués après l'achat du troisième bien. Mon quatrième investissement en détail : les chiffres clés.*

Autodidacte : Le prix à payer : *Pourquoi j'ai trop tardé dans l'enchaînement de mes investissements. Effets négatifs d'une telle attitude. Pourquoi vous devez enchaîner au maximum. Effets positifs d'une telle attitude. Quand investir en immobilier devient un jeu.*

Investir avant de dépenser : *Petit cours de finances personnelles.*

Pourquoi il faut savoir penser en investisseur et non en consommateur. Erreurs et recommandations.

Le meilleur moyen d'avoir des opportunités est d'en être une vous-même : *Comment j'ai cherché à m'en sortir. Pourquoi j'ai eu du mal de trouver des « associés » à mes débuts. Pourquoi tout s'est décanté. Quand la solution se trouve en vous.*

Problème = Solution : *Pourquoi il faut se créer un problème pour trouver une solution. Comment j'ai réussi à me passer du crédit pour un nouvel investissement tout en étant gagnant.*

La SCI n'est pas une fatalité : *Comment acheter à plusieurs sans créer de SCI. Comment cette méthode m'a permis de réaliser deux nouveaux investissements.*

Travailler la bonne affaire : *Comment j'ai fait baisser le prix de vente. La méthode qui m'a permis d'acquérir un garage gratuitement.*

Spéculation pure : 98 % de plus-value sans travaux ou comment acquérir un box de garage gratuitement : *Les chiffres clés de mes deux nouveaux investissements. Connaissez-vous la notion de « lésion » en immobilier ?*

Comme il est simple de trouver une idée : *Investir pour soi, investir pour ceux que l'on aime. Ou comment réaliser une bonne affaire en faisant une bonne action.*

Il y a vraiment des bonnes affaires partout : *Comment j'ai trouvé le premier appartement dans lequel j'ai investi. Pourquoi je ne me suis pas épuisé à la tâche.*

Il faut savoir les saisir : *Nous avons toujours des concurrents. Comment les contrer devant l'agent immobilier. Comment préparer la visite d'un bien. Quels documents apporter. Savoir se présenter... et se défendre. Ce n'est pas celui qui a la meilleure situation qui l'emporte, c'est celui qui a le meilleur dossier.*

Et pas besoin d'être inhumain pour ça : *Quand la visite d'un appartement est une pièce de théâtre, la première qualité d'un acteur est sa sincérité.*

Une affaire à l'achat : *Pourquoi une bonne affaire se fait à l'achat et non dans les années à venir. Comment j'ai réalisé une plus-value de 30 % en quatre mois et une seule signature.*

Et grâce au crédit : *Pourquoi j'ai commis l'erreur d'emprunter sur quinze ans. Pourquoi j'aurais dû signer pour vingt ans. Comment je pourrais réaliser une plus-value de 37 000 euros si je le voulais. Mensualité de crédit : la répartition entre le capital amorti et les intérêts expliquée simplement. Les chiffres clés de mon investissement.*

Remake : Toujours plus : *Comment j'ai découvert un lot de douze box à vendre. Pourquoi un gros promoteur est parfois plus facile à manier qu'un petit vendeur. Pourquoi il est important de comprendre la psychologie du vendeur. Comment se mettre à la place du vendeur.*

Négocier comme un pro par mail : *Retranscription intégrale et commentée de l'échange de mails qui m'a permis de négocier plus de 36 000 euros et pourquoi David l'a emporté sur Goliath en moins de vingt-quatre heures.*

Le Meilleur Atout de l'acheteur : *Pourquoi il ne faut pas se laisser intimider par les millionnaires. Et pourquoi la négociation est tout aussi importante... quand elle n'est pas un art.*

Savoir partager et s'associer : *Les chiffres qui démontrent que mes garages rapportent plus qu'un appartement. Comment j'ai pu réaliser une opération hors norme... jusqu'à plus de 55 % de plus-value.*

Et plus encore : *Les avantages et les inconvénients d'une résidence étudiante. Pourquoi je tiens à garder certains réflexes. Comment un investisseur se découvre des attitudes qui peuvent paraître absurdes aux débutants.*

La Plus-value se fait à l'achat : *Pensées d'investisseurs et pensées de* *non-investisseurs. La différence entre ceux qui investissent et ceux qui achètent pour s'endetter. Les mauvais réflexes qu'il faut abandonner. La bonne manière de penser. Pourquoi certaines personnes font un bon achat et gagnent leur liberté, et pourquoi d'autres s'endettent à vie. Les règles qu'il faut connaître avant de se décider.*

Une séparation qui va changer ma vie : *Faut-il acheter sa résidence principale ? L'importance de la personne qui partage votre vie.*

L'importance des partenaires : *Pourquoi investir dans l'immobilier n'est pas une décision à prendre à la légère. Et pourquoi savoir détecter les investisseurs immobiliers le plus tôt possible est capital. Ce que ce savoir a changé pour moi.*

Un petit achat pour l'homme, une grande affaire pour l'investisseur : *Comment j'ai réussi à acheter ma résidence principale avec une très faible mensualité de crédit sur quinze ans seulement. Pourquoi j'aurais pu faire beaucoup mieux. Pourquoi engager un tiers pour effectuer les travaux est un effet de levier puissant.*

Le Temps : Notre bien le plus précieux : *Pourquoi nous avons tort de penser que nous n'avons pas le temps. Comment l'utiliser favorablement pour nos projets d'investissement.*

Groupe Mastermind : Premier départ du monde du salariat : *Pourquoi il est important d'intégrer un groupe Mastermind pour avancer et éviter certaines erreurs. Ce que ce groupe Mastermind a changé pour moi. Pourquoi un investisseur doit se résoudre à vivre différemment des autres pour réussir ses investissements.*

La Stratégie de la fourmi : *Qu'est-ce que la stratégie de la fourmi ? Pourquoi la stratégie de la fourmi peut vous réussir. Pourquoi j'ai décidé de l'abandonner.*

Comment je suis devenu rentier en dix-huit mois : *Pourquoi il faut intégrer un groupe d'investisseurs pour réussir. De revirements en réussites.*

La Location de courte durée : *Pourquoi il s'agit du meilleur moyen de faire de l'argent rapidement. Pourquoi certaines personnes se font piéger. Quelles sont les règles à respecter.*

Conversion à la location de courte durée : *Les peurs que j'ai eues avant de me lancer. Pourquoi elles étaient ridicules. Ce qui a changé quand j'ai réussi à les dépasser. L'attitude à adopter quand on veut commencer ce type de location. La récompense : des chiffres qui donnent le tournis.*

Tout devient facile quand on a commencé : *Pourquoi on n'investit plus de la même manière quand on n'est plus pressé d'acquérir des biens pour vivre. Quelques raisons qui font que vous ne devriez plus attendre de commencer ou de continuer à investir.*

L'avantage de s'être constitué un patrimoine : *Pourquoi un jour c'est l'investissement qui vient à vous. Comment j'ai trouvé ma neuvième affaire. Pourquoi celui qui renonce à commencer rend difficile ce qui peut être simple.*

Les Yeux plus gros que le ventre : *Pourquoi l'investissement en question a failli m'échapper. Comment j'ai fait pour l'acquérir alors que tout jouait contre moi.*

Tous les investisseurs ne se ressemblent pas : *Pourquoi j'ai décidé de conclure alors que j'aurais pu me passer de cet investissement-là. Pourquoi vous devez penser à toujours construire votre crédibilité auprès des banques. Comment faire un crédit sans contracter de crédit.*

D'une résidence principale à l'autre : *Quelques chiffres sur la* *location de courte durée. Comment vivre chez quelqu'un d'autre revient à vivre chez soi et gagner du crédit auprès du banquier.*

D'un investissement à l'autre : *Ce qui m'a toujours freiné dans mon parcours d'investisseur. Pourquoi rien n'est jamais perdu en investissement. Le jour où j'ai trouvé la solution pour devenir rentier en très peu de temps.*

Rien d'exceptionnel : *Ce qui a changé en moi. Pourquoi il ne faut pas idéaliser ce que j'ai fait. Pourquoi vous pouvez le faire aussi.*

1 600 euros avec un seul appartement : *Comment j'ai trouvé ce bien. Pourquoi j'ai décidé de l'acheter. La plus-value que j'ai faite à l'achat. Ce que sa mise en location m'a rapporté. Quelques chiffres clés.*

Deuxième appartement du nouvel investisseur : *Comment j'ai trouvé ce bien. Pourquoi j'ai décidé de l'acheter. La plus-value que j'ai faite à l'achat. Pourquoi il ne faut pas s'impatienter. Ce que sa mise en location m'a rapporté. Quelques chiffres clés. Les trois règles de l'immobilier. Quelques astuces pour vous aider à faire de votre investissement une affaire en or.*

L'utilisation du *home-staging* : *Quels sont les avantages du home-staging. Pourquoi cette contrainte du débutant que j'étais est devenu l'atout de l'investisseur que je suis devenu aujourd'hui. Comment j'améliore ma stratégie. Pourquoi les travaux sont la principale source de démotivation des investisseurs débutants. Comment y faire face. Comment les contourner.*

Trouver un bon artisan : *Comment trouver un bon artisan. Comment le choisir. Quels critères sont à prendre en compte. Comment jouer avec les délais.*

Savoir prendre des risques : *Pourquoi ce que j'ai fait en dix-huit mois, vous pouvez le faire aussi. Pourquoi vous deviendrez rentier si vous le souhaitez.*

Construire sa crédibilité : *Pourquoi un appartement non intéressant* *pour de la location nue peut se révéler très intéressant pour la location de courte durée. Pourquoi il est important de garder son emploi le plus longtemps possible même quand nos rentes dépassent notre salaire. Comment montrer aux banques qu'elles ont eu raison de nous suivre et qu'il est dans leur intérêt de continuer à le faire.*

Foncer encore et toujours : *Signer un compromis exige un délai à respecter. Pourquoi il ne faut pas hésiter à aller secouer le banquier. Quand une action engage notre avenir auprès des banques. Pourquoi la mienne a joué en ma faveur. Pourquoi rien n'est le fruit du hasard. Et comment cela m'a réussi.*

Débusquer la bonne affaire : *Pourquoi c'est avec l'expérience que l'on devient un investisseur redoutable. Comment faire pour cela.*

Les Bienfaits de l'expérience : *Comment j'ai convaincu l'agent immobilier de me permettre de visiter l'appartement alors qu'il ne le voulait pas. Pourquoi j'ai insisté pour être le seul visiteur ce jour-là. Quel atout avais-je en ma possession ? Que lui ai-je dit pour signer le compromis ce jour-là ?*

Un très bel appartement : *Pourquoi il s'agit d'un investissement que je ne devais pas rater. Les travaux que j'ai effectués. Les chiffres qu'il faut connaître.*

Une annonce étrange : *Pourquoi les plus belles présentations ne sont pas les meilleures. Pourquoi il ne faut pas avoir peur des bizarreries du Net. Comment je l'ai compris. Pourquoi cela m'a porté chance. Comment j'ai gagné 5 000 euros rien qu'en décrochant mon téléphone. Pourquoi il faut insister encore et toujours. Les astuces pour faire plier son interlocuteur. Comment traiter avec le vendeur.*

La Parole d'un banquier : *Pourquoi j'ai commis l'une de mes pires erreurs en accordant ma confiance au banquier. Pourquoi il faut se méfier des banques. Comment éviter le piège. Comment envisager toutes les situations. Comment j'ai affronté l'épreuve et je me suis remis d'aplomb.*

Il y a toujours une solution : *La différence qu'il existe entre ceux qui réussissent et ceux qui ne réussissent pas. Comment j'ai trouvé la solution pour obtenir le financement. Ce que j'ai fait pour convaincre ma banque. Pourquoi la banque a décidé de me suivre.*

Une affaire en or : *Le retour sur investissement le plus incroyable que je connaisse. Des chiffres affolants. Ce que j'ai fait pour cela.*

L'Adaptabilité : La Stratégie de demain : *Pourquoi je parie sur cette stratégie pour demain. Pourquoi je considère qu'il s'agit déjà de la stratégie d'aujourd'hui. Pourquoi le marché de la location de courte durée risque de devenir notre pire ennemi. Comment faire pour qu'il reste notre meilleur atout.*

Principes de *home-staging* : *Quels sont les principes de home-staging que j'applique ? Pourquoi ? Quels procédés est-ce que je choisis pour cela ? Toujours le même objectif : celui de satisfaire le client.*

Les Trois Critères de l'appartement à rechercher : *Parce que sans ces trois critères, appliquer toutes les autres règles d'investissement ne serviraient à rien.*

Le Financement immobilier : Le Bon Conseiller dans la bonne banque : *Pourquoi il est nécessaire de comprendre l'univers bancaire pour avancer. Comment j'ai réussi à tout connaître de la banque. Pourquoi le banquier n'accorde pas toujours un crédit alors qu'il le devrait. Comment vous allez faire pour qu'il ne vous le refuse jamais.*

Le Côté pratique de la préparation : *Ce qu'il faut savoir avant d'aller à la banque. Comment il faut préparer son dossier. Les cinq règles d'or à respecter. Les trois meilleures banques du PBF. Banquier ou Courtier ? Quand choisir devient capital.*

Trouver le bon banquier au sein du bon établissement pour continuer l'aventure : *Comment faire pour qu'un dossier difficile puisse passer. Tout sur le rôle du banquier et le poids de son agence. Les trois banques qu'un investisseur immobilier doit choisir. Comment chercher le banquier qui nous permettra de toujours investir.*

Être rentier et être définitivement rentier : *Pourquoi être rentier ne suffit pas. Comment je suis devenu indépendant financièrement définitivement.*

Restructuration de la dette : Tout investisseur doit passer par là pour avancer : *Comment j'ai renégocié tous mes crédits et réalisé un véritable tour de magie sans trucages.*

Rachat de prêt = Mensualité divisée par deux : *Tableau explicatif avec chiffres et données.*

Réflexion sur mon parcours. Quand l'indépendance financière n'est qu'un début. Le début de la liberté.

Le document que vous devez présenter au banquier.

Ce livre vous donne accès au « Groupe Facebook Secret Adieu Patron ».

Pour connaître la démarche à suivre pour intégrer ce groupe, je vous invite à consulter les pages 225, 226, 227 et 228 après la lecture du livre.

Un soir, voulant programmer mon réveil pour un rendez-vous important prévu le lendemain matin, je n'arrivai plus à trouver l'application réveil de mon téléphone portable. J'étais tout simplement devenu incapable de programmer mon réveil. Ce fut ainsi que je compris que tout avait changé. Depuis des mois, je ne subissais plus la tyrannie du métro-boulot-dodo. Le réveil ne sonnait plus. Je m'étais échappé de ce cercle infernal. J'étais devenu un homme libre.

INTRODUCTION

Rien ne me destinait à devenir rentier.

Pourtant, j'ai réussi là où d'autres ont si peur de se lancer. Comme tout le monde, je me suis posé bon nombre de questions à mes débuts. Surtout que je suis plutôt sécuritaire et pas du tout aventureux. Aujourd'hui, ce sont les personnes que je rencontre qui me posent ces questions. En prenant connaissance du patrimoine et des revenus que je me suis constitués à seulement trente ans, elles me confient qu'elles aimeraient faire aussi bien et aussi vite. Il est vrai que mes quinze biens immobiliers me permettent désormais de vivre en dehors du salariat, et ce, comme j'aime à le dire, « aisément » et « en totale liberté ».

« Aisément », parce que j'encaisse chaque mois des revenus à cinq chiffres, sans être millionnaire ou être endetté jusqu'au cou. Ces revenus sont en croissance perpétuelle, ce qui ne pouvait évidemment pas être le cas quand j'étais salarié dans le domaine de l'action sociale. À cette époque, ne serait-ce que pour bénéficier de 100 euros d'augmentation, il me fallait attendre deux ans... et encore !

« En totale liberté », parce que gérer mes investissements ne me prend que quelques heures par semaine et que je n'ai rien d'autre à faire que cela. Le peu de travail qu'il peut me rester parfois peut être délégué quand c'est nécessaire. Autrement dit, quand je n'ai pas envie de me lever le matin, je demande à quelqu'un d'autre de le faire pour moi. Si j'avais osé procéder ainsi quand j'étais encore salarié, imaginez la catastrophe au boulot ! *« Qui c'est le nouveau qui travaille à la place de Romain ? »*

Aujourd'hui, pourtant, je ne programme plus mon réveil qu'à

de rares occasions et mon compte en banque n'a jamais été aussi bien rempli. D'ailleurs, plus jamais je ne réglerai ce véritable tyran, et ce grâce à un patrimoine de 800 000 euros, dont la plus grosse partie fut acquise en dix-huit mois seulement.

Vivre de son patrimoine et ne plus avoir de salaire. *En voilà un mode de vie original !* Il fait peur à certains, envie à d'autres. Si vous lisez ce livre, c'est parce que vous savez, au fond de vous, que c'est possible. Mais quelque chose vous retient encore. C'est peut-être le premier ouvrage que vous vous procurez sur le sujet de l'investissement immobilier. Dans ce cas-là, vous me donnez une grande responsabilité. Sachez que je n'ai qu'un seul but : vous donner les clefs pour pouvoir vivre de l'immobilier à votre tour. Ce que j'ai fait, tout le monde peut le faire. Il faut entre douze mois et cinq ans selon votre situation actuelle et vos objectifs.

Que vous soyez débutant ou expérimenté, que vous hésitiez encore ou que vous soyez un expert en la matière : ce livre est fait pour vous. Il est là pour vous aiguiller et vous permettre de progresser considérablement. Et, s'il le faut : à commencer.

Il y a toujours des raisons à un blocage. Ces raisons peuvent être aussi variées que la peur, les croyances limitantes, le manque de connaissances, de confiance, un entourage défaillant. Ou tout simplement le fait de ne pas croire que l'investissement immobilier est accessible à tous. *Oui, j'ai bien dis à tous !*

Le meilleur moyen de faire sauter ces blocages est certainement l'histoire expliquée et analysée en détail d'une personne partie de « moins que rien », pour finalement devenir rentier avant ses trente ans. Livrer ce qui est rarement dévoilé : l'envers du décor et les méthodes à appliquer. C'est ce que j'ai tenu à faire dans ce livre. Il relate mon parcours, ce qui m'a amené à investir, ce qui m'a permis de réussir et comment vous allez pouvoir faire de même.

Comment quitter le monde du salariat et se lancer dans celui de l'indépendance financière ? *En étant soutenu ?* Malheureusement, je ne le sais que trop bien, ce soutien, dans un premier temps, il est quasi impossible que vous l'obteniez de vos proches. Amis, famille, collègues de travail pris dans le quotidien et ne pensant pas qu'il est possible de vivre de ses rentes ou encore de construire un patrimoine à sept chiffres, vous transmettront leurs peurs et vous tireront vers le bas. Demander des conseils à un ami qui n'a pas de compétences en la matière revient à demander des conseils sur la viande à son boulanger. Autant dire que cela ne sert pas à grand-chose. Il en est de même pour les banquiers et autres commerciaux qui ne souhaitent que vous vendre les produits de leur entreprise.

Avoir le soutien de sa famille, des personnes qui nous sont les plus chères est toujours appréciable. C'est aussi pour elles si nous avons fait ce choix de vie. Parce que le monde que l'on nous prépare – augmentation du temps de travail, recul de l'âge de départ à la retraite, précarité de l'emploi –, nous ne le souhaitons à personne. Et surtout pas à nous-même. C'est la raison pour laquelle vous devez être celui qui va impulser le changement autour de vous et ne pas attendre qu'une autre personne l'initie.

Peut-être que votre ambition n'est pas de devenir rentier, de devenir millionnaire ou de posséder un nombre de biens immobiliers tellement conséquent que vos dix doigts ne suffiraient pas à les compter. Peut-être que vous avez la chance d'exercer un métier qui vous plaît et que vous cherchez à réaliser un ou deux investissements pour augmenter vos revenus. Ou encore qu'ils vous serviront à combler le manque créé par la faiblesse de votre pension de retraite.

Quoi qu'il en soit, je pense qu'il est préférable d'apprendre les méthodes et les stratégies d'un « Monsieur Tout-le-Monde » qui devient rentier. Cela répondra mieux à vos questionnements. Car cette réussite ne relève pas de l'infaisable. Être aujourd'hui « Monsieur Tout-le-Monde » ne s'oppose pas à être rentier demain.

Je ne suis pas millionnaire. Je suis indépendant financièrement. Et je le suis devenu en dix-huit mois. Oui, en dix-huit mois seulement. Pourtant, je ne voudrais pas laisser croire que c'est facile. D'ailleurs, ce n'est pas une question de facilité ou de difficulté, mais d'envie, de détermination et de stratégie.

Un principe ne doit jamais vous échapper : l'investisseur doit se former aux méthodes d'investissement avant de commencer puis continuer à étudier en permanence. Cependant, trop se questionner ou enchaîner les formations peut empêcher de commencer. Il s'agit d'agir dès maintenant en maximisant les chances de réussite et en évitant les erreurs qui pourraient vous coûter cher. Moi-même, j'ai commis des erreurs. Je vais vous les révéler pour que nous les analysions ensemble. Mais, en aucun cas, celles-ci auraient pu me ruiner. Elles m'ont empêché de gagner deux choses : du temps et de l'argent. Je peux le regretter, mais c'est mon parcours, mon histoire, ma vie. Vous aussi, vous avez votre parcours, votre histoire, votre vie.

Quelle que soit votre situation. Quel que soit votre âge. Quel que soit aussi vos états d'âmes actuels ou à venir. Sachez que vous pouvez toujours prendre le bon chemin. Il y a une autre possibilité que celle que l'on nous a enseignée depuis que nous sommes tout petit. Il y a une solution au salariat et à la précarité. Vous en avez conscience. Mais vous n'osez peut-être pas y croire à cause des barrières mentales que vous devez pulvériser pour avancer. *Oui, vous devez les pulvériser !* Vous avez découvert l'autre chemin, celui qui est désormais le vôtre, celui de la liberté. Votre liberté, vous l'avez là, entre vos mains. *Ne la lâchez plus !* Quels que soient les obstacles. Et même si vous doutez encore de vous, si vous pensez que vous n'êtes pas fait pour l'immobilier, que la pierre ne deviendra jamais une passion pour vous ; pire, qu'il faut être déjà riche pour investir.

Je le répète : je n'étais pas prédestiné à être rentier. Pour échapper à la misère et à l'ennui de l'usine, ma mère a tout abandonné. Elle a quitté sa famille et sa région natale à l'âge de dix-neuf ans. C'est ainsi qu'elle s'est retrouvée à Marseille et a trouvé un emploi qui lui plaisait : celui de « travailleur social ». Un emploi qui lui permettait d'aider les autres et de bénéficier de la « sécurité de l'emploi », mais pas beaucoup plus.

Je suis né dans un quartier de Marseille qui a été pendant dix années consécutives le plus pauvre d'Europe : la Belle-de-Mai. Par la suite, c'est dans les autres quartiers dits « difficiles » de la ville que ma mère a continué de m'élever seule.

Comme tous les enfants de mon âge, mon passe-temps favori était de « jouer à la *Play* ». Je n'étais pas mauvais élève, mais la seule chose qui m'intéressait était les jeux vidéos. J'y acquérais une certaine forme d'insouciance. Cependant, je dois préciser qu'à cette époque quelque chose d'autre a attiré mon attention. Un personnage m'a marqué profondément : « le Propriétaire ». La plupart des adultes qui m'entouraient alors s'en plaignaient sans cesse. *« Le propriétaire a augmenté le loyer ! »*, *« Le propriétaire veut arrêter le bail ! »*, *« Le propriétaire ne fait pas les réparations. »* Voilà la petite musique qui revenait souvent ! À en devenir une obsession. J'en étais même venu, du haut de mes dix ans, à penser que le propriétaire était une seule et unique personne. Un peu comme il y a Dieu et les Hommes, je m'imaginais qu'il y avait le Propriétaire et qu'il y avait nous. Et puis, c'est à ce moment-là que ma mère, elle aussi, a commencé à avoir quelques problèmes avec lui. Elle avait du mal à gérer son argent, à payer ses factures. Nous avons dû subir quelques coupures d'eau et d'électricité. Puis carrément des menaces d'expulsion. Des choses pas très réjouissantes, mais qui étaient loin de mes préoccupations d'enfant, jusqu'au jour où, en rentrant du collège, avec mon ami Lotfi, pour jouer à notre jeu vidéo favori, en tournant la clef dans la serrure, la porte ne s'est pas ouverte. Le jour tant redouté était arrivé. La présence de la police ne fit que confirmer ce que j'avais compris en voyant les quelques cartons posés sur le palier. Ma mère et moi étions virés de chez nous. Notre seul droit était de vider l'appartement de nos affaires et de déguerpir pour ne jamais revenir. J'étais alors en cinquième. J'avais treize ans. Et pour seule propriété ma *PlayStation*. Dans l'urgence, je n'eus qu'un réflexe, celui de la confier à mon meilleur ami. C'était, en quelque sorte, mon premier bien. Et j'y tenais. Le geste peut prêter à sourire, mais la situation d'alors pas du tout. Dans la panique, après le refus de l'hébergement d'urgence de nous accueillir, faute de places, c'est l'huissier qui nous a trouvé une chambre dans un meublé où passer la nuit. Dans cet hôtel miteux, nous sommes restés quinze jours. Pour payer la pension, ma mère liquida le peu d'argent en sa possession. Puis, pendant une semaine, nous sommes allés dans un autre hôtel du même genre, où nous avons dépensé tout l'argent qu'elle avait réussi à se faire prêter. La situation ne s'est régularisée que lorsque nous avons trouvé une chambre de 15 m^2 dans un troisième établissement. Nous y passerons six ans. Le quartier, lui aussi, est pauvre, les rats aussi gros qu'un avant-bras, les toilettes au fond d'une cour qu'il nous faut traverser dans le froid l'hiver, le toit en tôle ondulée. Vous l'aurez compris : nos conditions de vie n'avaient rien à envier à celles du tiers-monde – il paraît même qu'on appelle cela « le quart-monde »[1]. Mais, dans ce malheur, que l'adolescent que je suis ne vit pas trop mal, une personne va encore revenir me marquer : le propriétaire.

Ce qui éveille ma curiosité, à ce moment-là, c'est ce monsieur que je vois, chaque début de mois, venir réclamer son loyer et encaisser les billets. À travers lui, je découvre les possibilités que confère la possession d'un bien immobilier et son exploitation. Même s'il faut relativiser : l'immeuble dans lequel nous logeons n'a d'hôtel que le nom. L'eau chaude est

---

1. « Quart-monde » : Terme inventé par le père Joseph Wresinski en 1969 pour lutter contre la misère et en faveur des personnes vivant dans des bidonvilles en France.

régulée et le courant saute dès que l'un d'entre nous tente d'augmenter son chauffage.

C'est à cette époque que je comprends l'importance d'être propriétaire et que j'acquiers mes premières notions de finances personnelles. À ce moment-là, je n'ai qu'une idée en tête : travailler soit dans le social, soit dans le médical. Mon baccalauréat scientifique en poche, c'est naturellement que je m'inscris à l'université de médecine avant de me réorienter vers le social et de préparer le BTS et le diplôme de Conseiller en Économie Sociale et Familiale afin d'aider ceux qui connaissent la situation de détresse que ma mère et moi avons vécue.

Cependant, l'idée de travailler trente-cinq heures par semaine et quarante-sept semaines par an ne m'a jamais séduit. Alors, tous les soirs, dès les premiers cours, en plus de réviser, je recherche sur Internet comment investir dans l'immobilier. C'est ainsi que je vais acheter mon premier bien : un garage. Cette acquisition va me permettre de mettre le pied à l'étrier. Et je ne vais plus m'arrêter. Mais j'adopte alors une stratégie, celle de « la fourmi », que je pense prudente, mais qui se révèle trop lente. Je veux faire tout moi-même et je me retrouve à la place de celui qui cherche à réinventer la roue.

En effet, dans un mon parcours, une chose est frappante. De 2009 à 2014, j'ai réussi à constituer autour de 1 700 euros de revenus locatifs sur les 10 000 actuels et autour de 200 000 euros de patrimoine (résidence principale déduite). Puis, tout a explosé en dix-huit mois. J'ai donc gagné cinq fois plus en quatre fois moins de temps. J'ai avancé vingt fois plus vite qu'auparavant.

En parallèle de l'écriture de ce livre, je me suis renseigné sur cette sorte de croissance exponentielle. Il s'avère qu'elle a été rencontrée par de nombreuses personnes ayant connu un succès dans leur domaine d'activité. Ces années de croissance lente et de temps perdu semblent être le coût de l'apprentissage de l'autodidacte.

Ce coût est majeur. Pour 95 % des personnes, il signifie l'arrêt pur et simple de leurs ambitions.

Ce livre se veut être le raccourci vers votre liberté. Il contient toutes les méthodes, toutes les stratégies et tous les secrets qui vous permettront d'acquérir le plus rapidement et le plus sûrement possibles votre indépendance financière grâce à l'immobilier.

PREMIÈRE PARTIE

Le Prix à payer de l'autodidacte

Travail de fourmi et Expériences enrichissantes

En général, ce qui empêche quelqu'un de se lancer dans l'immobilier, c'est le manque de points de repère, le manque de soutien et la peur des sommes importantes qui sont en jeu. C'est la raison pour laquelle je tiens à vous détailler au maximum chacun de mes investissements, que ce soit sur le plan pratique, financier ou psychologique. Ce que je souhaite, c'est que vous puissiez analyser mon parcours dans le détail. Le vôtre en sera facilité et vous pourrez concrétiser le plus sûrement possible vos projets. Pour cela, je me dois de ne pas vous cacher mes erreurs, même si, parfois, elles furent, pour moi, de véritables claques. Souvent, elles ont surtout été une perte de temps. C'est exactement ce que vous devez éviter.

I

UNE AUTRE VIE EST POSSIBLE

Réussir sa vie ?

Quel est le sens de la vie ? C'est une question que je me suis toujours posée. Surtout avant d'entrer dans l'âge adulte. Je me souviens que mes petits camarades, au lycée, n'avaient pas plus de réponses que moi. Et je vous rassure : cela ne s'est pas amélioré avec les années ou en entrant dans le monde du travail. Il y avait pourtant un élément qui paraissait évident à tous : celui de « réussir sa vie ». *« Il faut réussir sa vie ! »* Cette maxime, que vous avez dû entendre de la bouche de vos parents, amis, professeurs, j'en passe, et des plus compétents en « réussite de vie », revenait sans cesse.

La majorité des réponses entraînaient les solutions et étapes suivantes, qui plus est dans un ordre plus ou moins identique : faire les études les plus longues possibles, trouver « un bon travail » avec un salaire de préférence supérieur à la moyenne, avoir un chef pas trop embêtant, travailler entre trente-cinq et cinquante heures par semaine, prendre cinq semaines de congés par an, espérer avoir des RTT – voire même un CE –, une retraite avant d'être grabataire et, en ce qui concerne le quotidien, utiliser le peu de temps restant pour gérer ses problèmes puis, accessoirement, profiter de sa famille et prendre du bon temps.

En analysant cette réponse, on s'aperçoit que c'est le chemin vers lequel la société *nous destine*, celui pour lequel nous sommes formés et conditionnés, et ce dès l'enfance. Par l'école, notre famille et nos amis. Ces mêmes personnes qui, pourtant, ne pensent pas à mal en nous guidant de la sorte.

Plus qu'un choix de vie qui nous est propre, plus qu'un but dans l'existence qui nous appartient, il s'agit là d'un véritable parcours imposé dès le plus jeune âge, un véritable engrenage qui se déclenche et qui, pour la majorité, n'est jamais arrêté que par leur mort.

Il est nécessaire de prendre conscience dès maintenant qu'une autre vie est possible, une vie d'hommes et de femmes libres, autonomes, indépendants financièrement, en capacité d'utiliser leur temps à leur guise. Je ne donnerai pas ici la réponse à la question : « Qu'est-ce que « réussir sa vie » ? ». Je pense qu'elle est propre à chacun, mais une chose est certaine : cela passe par acquérir sa liberté.

« Acquérir sa liberté » peut paraître fort comme terme, mais c'est bien de cela dont il s'agit. J'espère que vous en êtes déjà convaincu. Si ce n'est pas encore le cas, prenez cinq minutes de votre temps, là, maintenant, tout de suite, et demandez-vous ceci :

— Êtes-vous réellement le seul décisionnaire dans votre existence professionnelle ?

— Vous arrive-t-il de restreindre vos dépenses à un moment ou un autre du mois parce que l'argent manque ?

— Vivez-vous vraiment dans la ville, la maison ou l'appartement qui vous ferait réellement vibrer ?

— Choisissez-vous vos collègues de travail ?

— Choisissez-vous librement la manière dont vous employez votre temps ?

— Si vous vous arrêtez totalement de travailler, percevrez-vous encore des revenus suffisants pour vivre ?

Si vous avez répondu non à la majorité des questions, c'est qu'il est temps pour vous d'investir dans l'immobilier ou d'accélérer ce que vous avez déjà entrepris.

Croire en une autre vie et l'imaginer

Dans cette description d'une vie réussie telle que la société nous la propose, vous avez peut-être reconnu votre existence, certainement le parcours que d'autres ont suivi. C'est normal. Il s'agit du mode de vie dominant au sein de notre société. Et si vous n'avez pas envie de les imiter, nous sommes au moins deux. Très tôt, avant même d'obtenir mon baccalauréat et de commencer à travailler, je savais que je ne voulais pas suivre ce chemin. Je voulais vivre sans travailler, avoir des revenus élevés, disposer de mon temps. Un ami, pourtant très intelligent, m'a répondu un jour que ce n'était pas possible. Pour lui, un tel mode de vie était inconcevable. Tout simplement parce qu'il n'avait aucune référence en la matière. Et je ne trouvais rien à lui rétorquer. Moi aussi, à l'époque, je pensais que je n'avais aucune référence. Et pourtant, j'en avais – *et vous avez certainement les vôtres !* J'avais vu ce propriétaire gagner de l'argent en gérant son hôtel meublé : il passait simplement en début de mois récupérer les loyers. Bien sûr, il y avait du travail derrière tout ça. Mais loin, très loin, des trente-cinq heures par semaine imposées à chacun. C'était une autre conception de l'existence que celle qui se résume par le fameux – et ennuyeux – « métro-boulot-dodo ».

Toujours penser en investisseur

Cette anecdote soulève deux points importants qui méritent d'être développés plus en détail. Pour vivre autrement, pour réussir dans l'investissement immobilier, il faut « être disponible » mentalement et « être prêt » financièrement.

Je vais vous raconter une situation que j'ai vécue qui va vous démontrer comment j'ai perdu énormément d'argent et de temps sur la conquête de la liberté alors que j'aurais pu commencer à augmenter mes revenus instantanément.

Il n'y a pas si longtemps, alors que je m'étais déjà lancé dans l'achat de garages, que j'étais donc encore salarié et que je croyais dur comme fer en ma « stratégie de la fourmi »[1], j'ai rencontré un patron de restaurant, celui du *One Dollar Snack*, qui venait à peine d'ouvrir à Marseille et qui peinait encore à trouver sa clientèle. Le restaurant était désert ce midi-là. Le patron n'était donc pas particulièrement occupé et en a profité pour m'expliquer très clairement qu'il ne s'en faisait pas et qu'il pouvait « tenir », car il avait trouvé « un truc » pour « faire de l'argent » et pouvoir survivre avec un restaurant en déficit. Oui, il avait trouvé le moyen de combler le trou qui se creusait devant lui : il louait un studio de 20 m^2 sur le Vieux-Port à 400 euros la semaine. *Et ça marchait !* Il avait même pris la peine de m'expliquer comment il trouvait des locataires et comment il s'en occupait pour qu'ils passent un bon séjour.

J'avais donc devant moi une personne qui m'expliquait en détail comment vivre de la location de courte durée et cela bien avant que ce type de location devienne ce qu'il est aujourd'hui. J'avais en face de moi un pionnier du genre, une personne qui aurait pu me faire gagner deux ans. Pourtant, je n'ai pas essayé de l'imiter. À aucun moment, je ne me suis dit que j'allais faire pareil. *Pourquoi ?* Parce que mon cerveau n'était pas disponible à ce moment-là. Non, à cet instant précis, alors que nous parlions entre « investisseurs », j'étais trop borné pour entendre un autre son de cloche, étudier une autre stratégie. J'avais trop confiance en moi. J'étais trop concentré sur ma « stratégie de la fourmi ». C'était une erreur. Pour un investisseur, c'est même une faute gravissime. Les investisseurs qui réussissent savent écouter les personnes compétentes. *Mais attention !* Par personne compétente, n'allez pas chercher un agent immobilier qui, de toute façon, ne pense qu'à sa commission ! Ne vous laissez pas non plus polluer par les remarques négatives de personnes n'ayant à ce jour aucun investissement à leur actif ! Demander un conseil à une personne qui n'a jamais investi revient à s'exposer à un conseil totalement inadapté. Pourtant, c'est ce que font la majorité des gens quand ils questionnent

---

1. Cette stratégie vous est expliquée en détail dans le chapitre XI.

leur entourage.

Si vous voulez changer votre vie, il faut d'abord changer votre manière de penser. À titre personnel, j'ai dû faire un énorme travail d'ouverture sur les conseils donnés par autrui. Habituellement, je fonce et n'en fais qu'à ma tête. C'est un avantage qui m'a permis d'investir, mais j'aurais pu mieux faire et gagner de précieuses années ne serait-ce qu'en étant plus ouvert à la stratégie de survie de ce restaurateur. Ceci impose une véritable introspection et une volonté de changement.

En ce qui vous concerne, qu'est-ce qui aurait besoin d'être changé ? Répondre en toute sincérité à cette question, extrêmement difficile, est la première étape vers la liberté.

Je vous rassure : le fait de lire un livre de ce type signifie que vous êtes dans un processus de changement. *Oui, vous êtes en train de changer !* Vous êtes sur la bonne voie.

Je ne parle pas ici de jouer à être un autre, mais de vous enrichir. Et être riche, dans un premier temps, ce n'est pas posséder plusieurs millions sur son compte en banque. Être riche, c'est d'abord un état d'esprit. Permettez-moi de citer une personne mondialement connue qui a eu une existence hors norme !

« Le meilleur conseil que je peux donner à quelqu'un pour réussir dans le milieu du cinéma, c'est de ne pas écouter les "bruits du monde", mais d'écouter les "silences de l'âme". Je m'explique. Tous les gens te diront : dans la vie, c'est impossible, tu es trop loin, c'est pas faisable, c'est trop dur. Ça, ce sont "les bruits du monde". Mais les gens n'écoutent jamais le silence qui est "un son de l'âme". C'est-à-dire de se recentrer sur soi-même, à l'intérieur de soi-même, de se demander à soi-même ce que l'on veut faire dans sa vie, que ce soit un jardinier, un pilote d'avion ou n'importe quoi. Il s'agit de suivre ce "silence", et c'est ça que j'ai suivi. [...] J'ai

écouté cette âme et c'est ça qui m'a fait réussir, parce que j'ai cru en moi. »[2]

Avant même de savoir qui a pu prononcer ces mots, certains auraient eu des préjugés, j'en suis sûr ! Et peu importe les notions ésotériques d'âmes auxquelles on croit ou non. Je vous demande de bien relire cette citation pour vous en imprégner. Car elle est un excellent résumé de l'état d'esprit nécessaire. Il s'agit de s'écouter au plus profond de soi-même afin d'être en mesure de croire en soi, d'avancer et de prendre les bons conseils.

Cette attitude vous permettra d'écarter l'incertitude dans laquelle nous plonge le moment où nous passons à l'action ; l'action d'investir. Elle vous épargnera des échecs et vous permettra de gagner du temps. On dit souvent que le temps, c'est de l'argent. Gagner du temps, c'est gagner de l'argent. Mais, en réalité, cet argent vous permettra d'acheter le temps qui vous conduira à la liberté, voire même d'acheter le temps des autres. Ça semble cruel, mais c'est bien ce que votre patron fait quand il vous salarie. Il vous paye pour votre temps passé à faire des tâches. Il se démultiplie littéralement grâce à vous.

Travail salarié = Appauvrissement

Alors, comment gagner de l'argent ? La majorité des personnes répondent : « en travaillant ». En sous-entendant être salarié. Ce qui revient à échanger son temps contre de l'argent, tout en étant « perdant » et « dépendant ».

« Perdant », parce que vous avez passé votre temps à faire quelque chose que vous n'aviez pas forcément envie de faire à ce moment-là et n'êtes pas propriétaire de ce que vous avez produit.

« Dépendant », parce que, pour gagner la même somme, il vous faudra recommencer encore, et encore, à donner votre

---

2. Le nom de l'auteur de cette citation vous est révélé à la fin du livre.

temps à un patron ou à votre entreprise. Le temps, c'est ce que nous avons de plus précieux. Une fois perdu, il ne se rattrape pas, vous ne pouvez pas le stocker. Au lieu de travailler pour l'argent, il faut donc que celui-ci travaille pour vous.

J'ai toujours trouvé frappant que 58 % des Français soient propriétaires de leur résidence principale, que bon nombre de ceux qui ne le sont pas veuillent le devenir, mais que seulement 10 % d'entre eux soient propriétaires de leurs sources de revenus ! Si vous avez voulu être propriétaire de votre résidence principale ou si vous projetez de l'être, c'est bien pour arrêter de « jeter de l'argent par la fenêtre » et pour avoir une sécurité lors de votre retraite, non ?

Alors pourquoi ne pas devenir propriétaire de vos sources de revenus et prendre votre existence en main dès maintenant ?

Prenez le temps de la réflexion !

Continuer à travailler pour rien ?

Comment donc faire travailler l'argent pour soi ? D'abord, je me dois de rappeler une règle à ne pas négliger. Il faut toujours rapporter un salaire à son taux horaire. Ainsi, cadres et chefs d'entreprise ont souvent la désagréable surprise de s'apercevoir qu'ils ne gagnent pas énormément plus qu'un ouvrier. Le montant du revenu est donc important évidemment, mais continuer de gagner un Smic horaire n'a pas d'intérêt. L'objectif est de travailler moins pour gagner plus. Il faut donc travailler mieux.

Ça va peut-être vous paraître paradoxal par rapport à l'objectif de devenir rentier. Mais, dans un premier temps, si vous avez un CDI : ne commettez pas l'erreur de le quitter ! Si vous êtes sur le point d'en signer un, ne le refusez pas ! Il vous sera plus qu'utile. En France, le CDI est la voie d'accès royale au crédit immobilier. Et pas besoin de gagner beaucoup pour cela. J'ai moi-même commencé avec un salaire de 1 400 euros seulement. Il existe des méthodes pour commencer à investir avec le Smic.

En revanche, si vous êtes intérimaire, enchaînez les CDD et n'arrivez pas à décrocher de CDI, il ne faut pas vous décourager pour autant. Il y a toujours une solution. J'ai déjà coaché une personne pour l'aider à obtenir un crédit immobilier avec un CDD. D'où l'importance de savoir s'entourer, rencontrer des investisseurs et se constituer un réseau.

Pour autant, il faut rester réaliste : le CDI est l'atout le plus efficace pour obtenir un prêt immobilier. Aussi, il est primordial soit de se plaire dans son travail, soit d'avoir un but précis afin de pouvoir endurer ce temps de travail contraint. Par exemple, je vous ai raconté que ma mère et moi avions vécu dans un hôtel miteux pendant six ans. Si nous avons pu nous en sortir, c'est parce que j'ai passé mes dernières vacances d'été de lycéen à travailler chez *McDonald's*. Ces trois mois de dur labeur nous ont permis de réunir l'argent nécessaire à la location d'un appartement « normal ». Je n'ai rien dépensé de ce que j'ai gagné pendant ces trois mois. J'ai tout mis de côté jusqu'à atteindre l'objectif fixé. C'est ainsi que nous avons pu payer la caution et le premier mois de loyer. C'est ce but bien précis qui m'a fait avancer. Si vous travaillez avec un but précis, vous ne travaillez pas pour rien. Dans le cas contraire, il est temps de donner un sens à votre réveil quotidien, autre que celui du salaire.

L'Importance d'investir

L'épisode de l'expulsion et la vie en hôtel meublé m'ont appris trois choses :

1/ Un CDI n'est pas la sécurité.

2/ Savoir gérer son argent est un impondérable.

3/ Investir est nécessaire pour se mettre à l'abri définitivement.

Bien que bénéficiant d'un contrat à durée indéterminée, ma mère n'a pas pu subvenir à nos besoins en totalité. Nous avons été exclus de chez nous, mis à la rue. En subissant cette épreuve, j'ai compris qu'avoir un emploi ne suffisait pas pour vivre correctement et jouir d'une vie décente. Le CDI : ce n'est pas la sécurité. Même une personne en CDI peut être expulsée de chez elle.

Le CDI ne permet pas non plus de bénéficier de tout l'argent nécessaire pour subvenir à nos besoins et surtout à nos envies. Il est possible d'être salarié en CDI et d'avoir un revenu mensuel insuffisant. C'est ce qui s'est passé pour ma mère. Ce qui compte, donc, ce n'est pas la nature du contrat, mais le montant du revenu et le temps que vous devez y passer pour l'obtenir. Si vos ressources financières sont faibles et que votre temps est occupé par un travail subi, vous devenez le passager d'une galère. *N'y a-t-il pas un moyen de s'en sortir ?*

J'ai toujours pensé à comment gagner ma vie autrement. Mais, au lieu de rêver, j'ai réfléchi à l'élaboration d'un plan concret. J'ai joué le jeu du salariat à fond. J'ai eu mon bac, fait un BTS et obtenu un diplôme d'État. Mais je n'ai jamais pensé que je m'enfermerais dans le mode de vie dominant.

Une autre vie est possible. Celle de l'indépendance financière.

Ce qui est fabuleux, quand on est indépendant financièrement avec l'immobilier, c'est que nous touchons des revenus qui peuvent grossir à l'infini sans pour autant devoir augmenter sa dose de travail personnel. *Ça, c'est la sécurité !* Elle nous permet de transformer la vie en un long fleuve tranquille et de faire de nous une personne totalement libre.

VOS NOTES

II

IL EST TEMPS DE SE LANCER !

L'investisseur, c'est celui qui investit

Il ne suffit pas de savoir qu'une autre vie est possible pour vivre de l'immobilier, sinon nous l'aurions déjà tous fait suite à ces reportages qui nous sont régulièrement servis à la télévision. Pour être rentier de la pierre, il faut passer à l'action, mettre ses idées en actes. Pour cela, un déclic, un élément déclencheur est souvent nécessaire. Il arrive parfois là où on ne l'attend pas.

Après le baccalauréat, j'ai été étudiant pendant quatre ans. Une année d'erreur en médecine, deux ans en BTS, encore un an pour terminer les études et obtenir le diplôme de conseiller en économie sociale et familiale qui me permettrait d'exercer mon futur métier.

Ces quatre années d'études ont été pour moi l'occasion de me former en parallèle à l'indépendance financière. Je passais une bonne partie de mon temps libre à lire des livres, des blogs et autres articles sur le sujet. Quatre ans, ça paraît peu quand on regarde en arrière et qu'on s'aperçoit qu'on n'a rien fait. Mais, quatre ans, c'est énorme pour un investisseur. Tout du moins pour une personne ayant la ferme intention d'utiliser pleinement son temps.

Ces quatre années peuvent être le temps nécessaire pour vous permettre de vivre totalement de vos investissements immobiliers puisque, à ce jour, de nombreuses ressources de formations sont disponibles. Ce que j'ai fait en quatre ans pour me former, vous pouvez l'accomplir en six mois et utiliser le temps restant pour passer de la théorie à la pratique.

Quatre ans, c'est donc beaucoup, largement suffisant pour quelqu'un qui souhaite investir.

Il est impératif d'avoir cette idée à l'esprit afin de pouvoir sauter le pas. Penser que la réalisation de votre objectif arrivera à court terme n'est pas quelque chose d'utopique.

Inutile donc de passer son temps à faire et refaire son plan d'actions. Tout aussi inutile de modifier sans cesse un projet à réaliser dans un futur proche, mais trop loin encore pour attaquer le chantier maintenant. Inutile toujours de repousser à plus tard l'investissement que l'on pourrait faire aujourd'hui. La différence se fait maintenant. En cet instant, alors que vous êtes en train de lire ces lignes, le monde se divise en deux. Il y a les personnes qui passent à l'action et celles qui tournent en rond. Les premières prennent de l'avance sur les secondes. Les secondes continuent de repousser à plus tard ce qu'elles ne feront jamais.

Et aussi, tout contre-intuitif que cela puisse paraître, il ne suffit pas d'être averti pour mettre la machine en route. Moi-même, bizarrement, au cours de ces quatre années où j'étais étudiant, alors que j'avais appris beaucoup de choses, alors que j'en savais assez pour me lancer, je n'ai rien fait – ou si peu. J'ai attendu la toute fin de mes études pour faire mon premier investissement. C'est donc – presque – comme un étudiant lambda que j'ai effectué, dans le cadre de mes études, un stage dans un hébergement pour familles à la rue. Très vite, je suis devenu ami avec le directeur de l'établissement. Une passion commune nous a rapprochés : les sports de combat. Moi pratiquant le combat libre – « le Free Fight » – et lui le Krav-maga. C'est ainsi que nous sommes arrivés petit à petit à parler d'autres choses que du travail. Et que j'en suis venu à lui évoquer mes projets futurs concernant l'immobilier. J'ai découvert alors qu'il s'intéressait aussi à ce mode d'investissement. Il y pensait depuis des années. Au cours de l'une de nos discussions, il a voulu m'informer que le meilleur moyen de commencer était d'acquérir des box de garage. Je lui ai répondu que je le savais, mais que je n'en avais pas encore achetés. *Retenez bien cette réponse qui ne mérite pas de sortir de la bouche d'un investisseur !*

Mon interlocuteur non plus n'a pas relevé cette faute.

« À Marseille, il y a quelqu'un qui est connu pour vivre uniquement de son patrimoine immobilier et pour obtenir des garages gratuits », m'a-t-il dit. Avant d'ajouter : « À chaque fois qu'il y a un nouveau projet d'immeuble à construire, il se débrouille pour faire un recours contre le promoteur. Cette action entraîne le blocage du permis de construire du promoteur, ce qui est évidemment très pénalisant, et cette personne, pendant ce temps, négocie un box gratuit avec le promoteur concerné. »

Est-ce vrai ? Est-ce faux ? Je n'ai jamais pu le vérifier. Il y avait sûrement une part d'exagération. Mais je sais qu'à Marseille les recours sur les projets immobiliers sont un « sport national ». Comme l'histoire, qui a fait la une d'un journal local, de cette personne peu scrupuleuse qui est allée jusqu'à louer un local commercial, parce qu'elle savait qu'il allait y avoir des travaux dans cette zone précise, afin de lancer un recours en prétextant que le chantier gênait son activité commerciale et qu'il fallait donc l'indemniser.

Ce que cette personne n'avait pas prévu, c'est que le promoteur viendrait lui-même vérifier en quoi les travaux gênaient son exercice professionnel. Il s'est rendu compte qu'il n'y avait aucune réelle activité commerciale au lieu indiqué. Et ce depuis plusieurs années.

Cette anecdote peut amuser, mais elle est loin d'être isolée. Si vous poursuivez dans l'immobilier – ce que je vous encourage à faire –, vous en entendrez bien d'autres.

Outre ces petites histoires immobilières qu'il me racontait

sans en tirer de leçons, ce qui me marque à cette époque, c'est que mon directeur me parle des garages. Ces anecdotes ont réactivé ma curiosité sur le sujet. Avec le recul, je peux dire que ce qui m'a remis la puce à l'oreille, c'est surtout d'avoir entendu que cette personne ne vivait que de son patrimoine immobilier ainsi que la croyance que j'avais accordée à cette histoire. C'est cela qui m'a mis concrètement sur la voie de l'investissement.

J'ai alors de l'estime pour ce directeur. Du respect et même de l'admiration. Il n'est pas n'importe qui. C'est quelqu'un d'intelligent, d'une très grande intelligence même. Il gère une structure où évoluent une vingtaine de salariés. Il jouit d'un bon statut social et gagne 3 000 euros par mois, ce qui est, pour moi, à ce moment-là, alors que je n'ai que vingt et un ans lors de notre première rencontre, tout simplement extraordinaire. Je le vois même comme un mentor. J'écoute ce qu'il me dit. Les garages, c'est intéressant. C'est vrai. Je le sais. Je vais donc revenir sur ce que je croyais connaître. Et c'est comme ça que je me rends sur *Leboncoin.fr*, avec une idée très précise de ce que je veux y trouver. Un garage avec une rentabilité au-dessus de 10 %.

En immobilier, il n'y a pas plus simple et rentable que les garages. Bien sûr, il y a quelques fondamentaux à respecter, mais, si on les respecte, ça ne peut que marcher.

Quand on cherche avec les bons critères, que je vais vous livrer en intégralité dans le chapitre suivant, on trouve, et vite. J'ai trouvé l'ensemble de mes investissements avec des recherches de moins de trois semaines grâce à l'application d'une méthode extrêmement précise que vous allez, je l'espère, appliquer pour vos prochains investissements.

Cette méthode fut payante pour moi dès le premier bien recherché. Même pas quinze jours se sont écoulés quand je suis tombé sur un garage qui correspondait précisément à ce que je recherchais. Mon premier réflexe fut de téléphoner à mon directeur pour lui annoncer cette trouvaille. Enthousiaste, il m'a proposé de venir effectuer la visite avec moi, ce que j'ai accepté immédiatement, n'ayant pas le permis de conduire. C'était, il faut l'avouer, plus pratique de bénéficier de l'expérience d'un conducteur.

Oui, oui, je m'apprêtais à acheter un garage sans même avoir le permis de conduire ! J'aurais été incapable d'y faire rentrer moi-même une voiture.

Quelques jours plus tard, j'ai de nouveau téléphoné à mon directeur, non pour effectuer une contre-visite, mais pour lui annoncer que j'achetais le garage. Il fut plus que surpris. Même pas trois semaines s'étaient écoulées entre notre première discussion sur l'immobilier et ma décision d'acheter le garage que nous avions visité. Il ne pouvait donc pas comprendre comment je m'étais décidé aussi rapidement, comment j'avais pu concrétiser en si peu de temps. Mon directeur avait dix ans de plus que moi. Il bénéficiait de revenus plus conséquents. Il pensait à l'investissement depuis un certain temps. Et voilà qu'un jeune le « doublait » ! Il ne comprenait pas. Il ne pouvait pas comprendre. Moi non plus, à l'époque, je ne me rendais pas compte que je le « doublais ». Je n'avais pas non plus conscience des blocages qui l'affectaient. D'autant plus que je le voyais comme un mentor. J'étais aveuglé par mon admiration pour lui.

Après avoir été stagiaire et avoir fini mes études, j'ai été embauché à ce poste et c'est chez lui que j'ai signé mon premier CDI. Il a donc été le premier témoin de mon parcours, de mon évolution. Il a vu l'enchaînement des investissements, senti, vécu mes enthousiasmes ; la joie, l'envie et le bonheur que tout cela me procurait. Il avait « l'exemple » devant lui – juste devant lui – de quelqu'un qui mettait en pratique tout ce qu'il aimait développer en théorie. Il vivait en direct l'expérience de quelqu'un qui réalisait ses projets. Cependant, il n'a jamais passé le cap de la mise en route. C'était pourtant simple. Il n'avait qu'à me copier pour réussir, étudier mes investissements, chiffres et documents à l'appui. Mais rien. Il n'a jamais rien fait.

Il ne s'agit pas ici de me lancer des fleurs en me comparant, mais de vous permettre de savoir où est-ce que vous vous situez à ce moment précis afin que vous puissiez réfléchir sur votre parcours et avancer.

Avez-vous juste besoin de méthodes d'investissement, de savoir supplémentaire avant de vous lancer ?

Êtes-vous finalement déjà en possession des compétences et avez besoin de vous attaquer à tous ces blocages qui vous parasitent ?

Comme ce fut le cas lorsque mon directeur me parla des garages, répondez-vous parfois à votre entourage que vous « le savez déjà » sans rien faire de plus ?

Avant de vous donner mes méthodes d'investissement, j'insiste sur ces questionnements. Une fois que vous aurez digéré et compris comment investir, il faudra revenir régulièrement à ce chapitre pour vous rappeler l'histoire de cette personne qui avait déjà tout pour réaliser ses envies mais qui n'a jamais rien mis en application. Car il n'y a rien de plus simple que de devenir la personne qui possède la connaissance, l'étale en public et n'en fait finalement rien.

Pour réussir, il faut dépasser les peurs qui nous bloquent

Pourquoi n'est-il jamais passé à l'action ? Pourquoi n'a-t-il jamais transformé ses idées en actes ? Plusieurs raisons sont possibles. Celles qui m'intéressent, et finalement celles qui devraient vous intéresser, sont les vôtres.

Recentrez-vous ! Où en êtes-vous dans votre parcours d'investisseur ?

Si vous n'avez pas encore commencé à investir, si vous en

êtes encore à vous demander comment acquérir un bien – que ce soit un garage ou un appartement – sans prendre trop de risques, le premier conseil que je peux vous donner est de ne pas écouter ceux qui vous découragent et de ne pas vous laisser abattre par une situation qui semble défavorable.

Ceux qui vous découragent sont ceux qui n'ont jamais investi ou qui se sont cassés les dents en essayant d'investir. Je dis bien « en essayant », car il vaut mieux considérer comme « investisseurs » ceux qui ont réussi et non ceux qui ont échoué. N'écoutez pas non plus ceux qui ont intérêt à vous voir stagner ! *Ils sont plus nombreux qu'on n'ose le croire.*

Ceux qui n'ont jamais investi ne savent pas finalement de quoi ils parlent. Ils n'ont jamais effectué de recherches méthodiques et sérieuses, ils n'ont jamais négocié avec l'agent immobilier, ils n'ont jamais pris de rendez-vous à la banque, ils n'ont jamais monté de plan d'investissement, ils n'ont jamais négocié de crédit pour gagner de l'argent. Ils n'ont jamais non plus signé de papiers chez le notaire ; mis à part pour leur résidence principale, qui, bien souvent, les endette tellement qu'ils se retrouvent pieds et poings liés. Et ils se permettent de détruire vos rêves. Votre responsabilité est de ne pas les écouter !

Dans la catégorie des gens qui n'ont jamais investi, il y a ceux qui ne se sont jamais renseignés en détail sur l'investissement immobilier et ceux qui se sont sur-informés. Il y a aussi ceux qui vont vous dire que « si ça marchait, tout le monde le ferait » ou encore que « c'est réservé aux autres, à ceux qui ont plus d'argent ».

Même les investisseurs aguerris restent parfois bloqués par des croyances que l'on qualifie de limitantes. Par exemple : « Être rentier, ce n'est pas pour moi. » Il s'agit des concepts, phrases toutes prêtes auxquelles nous accordons du crédit sans les avoir vérifiées ou même en ayant des contre-exemples sous les yeux. Ce sont de véritables croyances, et il vous faut impérativement faire le tour de ces croyances. Dans l'objectif de les questionner et de les remplacer par de véritables méthodes, hypothèses fiables, voire par des croyances non limitantes, quand vous n'êtes pas en mesure de vérifier vos idées. Ces croyances non limitantes auront au moins le mérite de ne pas bloquer votre développement. Elles vous permettront de chercher la sortie de vos difficultés actuelles.

Parmi les mille et une choses qui peuvent vous décourager, il y a justement tous ces exemples de personnes qui ont acheté un bien ou deux et qui se sont arrêtées. Parce qu'elles ont perdu de l'argent ou parce qu'elles estimaient qu'elles payaient trop d'impôts et que ce n'était donc pas rentable.

En général, les personnes qui n'ont jamais investi seront fières de vous évoquer ce genre d'exemples, pensant détenir la vérité. Et votre moral n'en sera que plus miné. Ce qui est tout à fait normal. Heureusement, la conclusion à en tirer n'est pas que ça ne peut pas fonctionner puisque cette personne n'a pas réussi, mais que cet exemple vous en dit plus sur la personne en question que sur l'investissement immobilier !

N'oubliez pas ! Vous serez toujours seul à prendre la décision finale. Vous êtes le seul responsable. Pour autant, il est important de se constituer un réseau d'investisseurs, de rencontrer des gens qui « pensent comme nous ».

Aller à la rencontre de gens qui aspirent à la même vie que vous, qui recevront vos projets avec enthousiasme est primordial. Cette démarche vous permettra aussi de rencontrer vos futurs partenaires d'investissement. Car il faut voir sur le long terme. Un jour, l'étape de « comment vaincre ma peur d'acheter mon premier bien » ou encore « d'enchaîner les acquisitions » sera loin, très loin derrière vous. Pensez au jour – je dirais même « aux jours » – où vous vivrez uniquement de vos rentes ! Où vous rirez de vous-même, de vos hésitations passées. Ces moments arrivent plus vite qu'on ne le croit.

Je vais d'ailleurs vous raconter à quel point j'étais nul quand j'ai commencé et pourquoi il est assez probable qu'à l'heure actuelle vous en sachiez plus que moi à mes débuts.

Mais, pour le moment, je souhaiterais que vous listiez sincèrement toutes les raisons qui vous empêchent de passer à l'action. Que ce soit pour acquérir un premier bien ou pour aller plus loin. Ou bien gagner davantage d'argent si vous avez déjà commencé. Ou encore achever votre prise d'indépendance financière.

Ces raisons peuvent être multiples. Par exemple, mon directeur avait une belle vie. Avec un salaire de 3 000 euros par mois, il appartenait à une catégorie de la population dans laquelle il est, paraît-t-il, et moi aussi je le croyais, très, très difficile d'entrer. Puisque seuls 10 % des Français gagnent plus de 3 000 euros par mois.

Mon directeur était aussi à la tête de vingt salariés. Ce n'est pas rien. C'est gratifiant. Il préférait peut-être se lever tous les matins pour entretenir son statut hiérarchique et pouvoir jouir de cette satisfaction au cours de discussions entre amis.

Un autre argument qui revient souvent est le suivant : « Je n'ai pas le temps. » Nous sommes d'accord. Nous n'avons que vingt-quatre heures dans une journée. J'ai envie d'ajouter : comme tout le monde. Pourtant, certaines personnes agissent plus que d'autres. Cet argument n'en est donc pas un. C'est l'excuse de celui qui n'arrive pas à gérer son emploi du temps, voire sa personne. Encore une fois, nous avons tous vingt-quatre heures dans une journée. À nous de les utiliser correctement, de les rendre prolifiques ! Rigueur et discipline sont souvent les meilleures alliées de l'investisseur.

Alors, au lieu de remettre à plus tard le jour où vous investirez, investissez maintenant !

Au lieu de vous persuader que votre vie de famille vous empêche d'investir, investissez pour embellir votre vie de famille !

Au lieu d'attendre que vos enfants aient quitté la maison pour investir, investissez pour vos enfants !

Au lieu de penser que vous aurez plus d'argent de côté quand ils auront quitté le nid, investissez maintenant pour qu'ils aient un « présent » – et un avenir – assuré quand ils seront grands et qu'ils ne trouveront pas l'emploi auquel leurs études les avaient destinés !

En écrivant ce livre, je vérifie encore chaque jour à quel point il est important, primordial, nécessaire d'investir.

Le tableau suivant a pour but de vous permettre de commencer à réécrire votre existence.

Je souhaiterais que vous notiez point par point tout ce qui vous limite actuellement et que vous indiquiez si vous avez une influence dessus ou non. Ensuite, écrivez juste en face les actions à mener pour avancer dans les difficultés pour lesquelles vous avez une capacité d'influence. Refaites cet exercice chaque début de mois afin de vous débloquer ! Il s'agit de déconstruire vos croyances limitantes et de recenser les points de blocages pour mettre en place des solutions.

Blocages	Ai-je une influence dessus ?	Que faire ?	Quand ?

III

PREMIER INVESTISSEMENT

Box de garage : La Voie royale

Contrairement à ce que mon parcours pourrait laisser croire, j'ai un profil sécuritaire. Par conséquent, si j'ai réussi à investir, à acquérir onze garages et six appartements, et si je suis allé jusqu'à gérer vingt biens immobiliers, vous pouvez le faire aussi. En effet, je n'ai pris aucun risque dans mes investissements. Vous pouvez même aller plus vite que moi et faire mieux. Beaucoup mieux.

J'ai acquis mon indépendance financière en dix-huit mois seulement. Mais après cinq ans d'erreur, de fausses croyances, de fourvoiement. J'ai perdu un temps considérable. Ce fut pour moi un parcours pénible. *Et pour cause !* J'ai passé toutes ces années à enchaîner les petits boulots – en plus de mon emploi fixe à trente-cinq heures. Je cumulais deux emplois. Je travaillais jour et nuit. En tout, si je fais le compte, j'ai dû avoir plus de trente patrons. Je ne faisais que ça : travailler, travailler, travailler. Certes, avec un but bien précis : celui d'économiser l'argent que je croyais être nécessaire à l'investissement. Mais c'était une grave erreur de la part d'un investisseur.

Oui, je fais partie de ceux qui ont travaillé comme des forcenés à leurs débuts, mais je vous rassure : vous n'êtes pas obligé de faire pareil. Je le répète : cette méthode m'a fait perdre énormément de temps et énormément d'argent. Quand je regarde en arrière, je me dis que je me suis vraiment égaré. Je dis cela avec le recul et au regard des méthodes d'investissement que je connais maintenant. Cependant, si vous êtes étudiant et que vous travaillez pour financer vos études, vous vous reconnaîtrez peut-être dans mon parcours et je ne peux que vous encourager à continuer de travailler pour préparer au mieux vos futurs investissements.

Encore une fois, ne commettez pas la même erreur que moi ! Il n'y avait que le travail dans ma vie. Ça m'a servi, certes, mais c'était trop. Étudiez bien mon histoire ! Vous irez beaucoup plus vite. Et en toute sécurité ! Mon but aujourd'hui est de vous amener à l'investissement immobilier et à l'indépendance financière sans pour autant vous tuer au travail. Pour cela, il faut parfois vaincre ses peurs. Et le meilleur moyen d'y arriver est de connaître les fondamentaux de l'immobilier. Si vous respectez les règles, tout se passera bien. Inutile d'apporter des sommes importantes. Vous ne perdrez pas d'argent. Vous en gagnerez.

Le meilleur moyen de commencer est certainement d'investir dans les box de garage. Il en existe à moins de 10 000 euros dans de nombreuses villes françaises. Pour certains, il faudra peut-être investir ailleurs que dans sa ville. En cas d'erreur, la perte n'est pas énorme. On peut se retourner. C'est moins facile avec un appartement ou un immeuble de rapport. Et c'est la raison pour laquelle j'ai moi-même commencé par les garages. Cela pourrait être pour vous aussi un bon point de départ. Surtout si vous n'avez pas de moyens importants. Cette expérience vous permettra de vous familiariser avec la recherche de biens, les visites, la négociation avec l'agent immobilier ou le propriétaire, la signature chez le notaire, la demande de crédit, la mise en location, la rencontre avec le locataire, la rédaction et la signature du bail, l'encaissement du revenu automatique.

Après ce rodage, vous aurez franchi le cap qui fait que l'on ne s'arrête plus.

Et si vous avez déjà commencé, les box de garage seront un moyen de vous diversifier avec un investissement rentable et sûr.

Les Fondamentaux du box

Les règles d'investissement immobilier : vous avez sûrement dû en lire ailleurs. Elles nécessitent souvent une calculatrice pour être utilisées. J'ai choisi de les synthétiser simplement afin que vous puissiez savoir en un clin d'œil si l'investissement vaut le coût. L'investisseur intelligent regarde les bons paramètres et ne se laisse pas parasiter. Vous n'avez pas le temps de tergiverser. Vous risqueriez de rater des affaires ou d'abandonner à force de regarder le moindre détail.

Pour que l'investissement dans un garage soit rentable, il existe trois règles d'or à respecter pour être sûr de ne pas se tromper, ainsi que des règles complémentaires, afin de peaufiner votre choix et être certain de louer en permanence à un prix élevé.

À propos du choix du lieu :

— Choisir un garage situé dans une zone où l'offre de stationnement gratuit est très faible et la demande de stationnement énorme. Par exemple, là où les habitants tournent quinze minutes avant de trouver une place quand ils rentrent chez eux le soir.

— Que cette zone appartienne à un quartier où il y a un peu d'insécurité ou au moins de l'incivilité. Un endroit où laisser sa voiture dehors entraînera rapidement des rayures du fait du stationnement difficile.

— Choisir un box assez grand pour accueillir un gabarit de voitures supérieur à 80 % des voitures du parc automobile français. Pas besoin d'un box trop grand qui coûterait trop cher pour un loyer quasi similaire. Après avoir fait des recherches sur le gabarit moyen des voitures en France, je me suis aperçu qu'il est suffisant de viser des box avec une longueur supérieure à 4,5 mètres (l'idéal étant 5 mètres) et une largeur supérieure à 2,30 mètres (idéal à 2,5 mètres) ainsi qu'une hauteur de porte supérieure à 1,90 mètre. Pas besoin de plus ! Il s'agit d'une interprétation très personnelle de la notion de dose minimale effective.

La combinaison de ces trois règles simples permet de ne jamais se tromper. Si un doute persiste, faites une annonce test dans l'endroit de location de votre box ! Plus de trois appels dans les cinq premiers jours, et vous êtes certain de louer rapidement. Si vous n'avez pas d'appels, c'est que soit le prix est trop élevé, soit la zone n'est pas adaptée. Refaites un test avec un prix 10 % plus bas ou laissez l'annonce quelques semaines. Dernier conseil, publiez votre annonce un vendredi pour qu'elle soit en pôle position pour le week-end ! Moment propice pour les recherches.

Dans la catégorie des choses à éviter : Oubliez immédiatement les ensembles de garages munis d'un ascenseur ! Les charges y sont trop élevées et il arrive bien souvent des ennuis techniques que les locataires vous feront payer en allant louer un garage dans une autre résidence. Mais qu'est-ce que « des charges trop élevées » ? Tout simplement, un montant de charges représentant plus de 15 % du loyer (au-delà de 10 % : c'est assez élevé mais entendable si vous achetez bien en dessous du prix du marché).

À propos de l'investissement financier et du loyer :

Une règle simple – et on ne peut pas faire plus simple : Un garage acheté 10 000 euros doit se louer au moins 100 euros par mois.

Je devance votre question : Oui, il est possible de trouver des affaires avec ce ratio de 10 000 pour 100 ! Soit 12 % brut. J'en ai même trouvées à 18 %.

Et j'ajoute : Un garage sera toujours plus rentable qu'un appartement.

Je m'explique :

Avec 10 box de garage achetés 10 000 euros chacun, vous êtes à la tête d'un patrimoine de 100 000 euros.

Pour un investissement de 100 000 euros, vous encaisserez 1 000 euros de loyers chaque mois.

Avec un appartement d'une valeur de 100 000 euros, il vous sera impossible, à Marseille ou ailleurs, d'encaisser chaque mois un loyer de 1 000 euros. C'est impossible. Ça n'existe pas.

Je parle bien sûr de la location nue ou meublée. La location de courte durée et la colocation sont un autre type d'investissement, avec des contraintes et des objectifs différents.[1]

La rentabilité et la sécurité de l'investissement dans des box de garage seront toujours plus importantes que l'investissement dans un appartement pour une raison simple. Avec dix garages, vous diluez le risque d'impayés.

Ainsi, pour 100 000 euros de garages, vous aurez toujours au moins 900 euros qui viendront s'ajouter à votre compte en banque tous les mois. Il n'y a jamais dix locataires de garages qui s'en vont en même temps. Il est statistiquement impossible que plusieurs locataires arrêtent de payer simultanément. Quand on sait qu'il n'y a que 3 % d'impayés en France, c'est un avantage à ne pas négliger.[2] À titre personnel, je n'ai pas dû avoir plus de 0,5 % d'impayés, ce qui correspond aux quelques locataires qui parfois partent sans payer le dernier mois, se disant que je garderais la caution en échange. En revanche, si le locataire de votre appartement ne vous paye plus, vous perdrez 100 % de vos loyers ce mois-là. Et s'il n'a plus les moyens de vous payer, il vous sera très difficile de mettre un terme au bail.

Autre avantage : L'entretien d'un garage est nul. À part le

---

1. Voir le chapitre XI.
2. Selon la *Fédération nationale de l'immobilier* (*FNAIM*).

rideau métallique ou la serrure à changer éventuellement, vous n'aurez rien à faire. Ce point est extrêmement important et de nombreux investisseurs le négligent complètement : au fil des années, les travaux d'entretien d'un appartement coûtent des milliers, voire des dizaines de milliers d'euros. Quand on fait le bilan, un décalage se crée. Au bout de vingt ans, un investisseur ayant acheté deux studios à 50 000 euros pièce aura sûrement dépensé plus de 20 000 euros pour l'entretien (estimation basse puisque je prends en compte 500 euros par studio et par an) contre 0 ou si peu pour un box de garage. Multipliez cela par plusieurs appartements et un nombre d'années plus élevé, et vous serez en mesure de percevoir l'argent qui manquera sur votre compte en banque ! Cela ne veut pas dire qu'il ne faut pas du tout investir dans des appartements, mais il faut le faire avec des investissements atypiques et à haut rendement.[3]

Un cadre légal très avantageux

Vous pouvez aussi fixer librement le prix de votre loyer. Le propriétaire du véhicule ne peut qu'accepter votre prix s'il ne veut pas que sa voiture continue de dormir dehors. Le rapport de force est en votre faveur. De plus, si vous voulez mettre fin au bail, là aussi, la loi est plus simple qu'avec un appartement. Il n'existe pas de préavis imposé par la loi. Vous pouvez décider par vous-même les conditions du préavis dans le bail. Personnellement, j'utilise un mois de préavis. Et, si le locataire se retrouve dans l'incapacité de vous payer son loyer, soit il enlèvera lui-même son véhicule, soit vous pouvez condamner le garage ou le faire expulser très rapidement (procédure en référé).

Si un impayé devait arriver et persister, expliquer à un locataire qui ne paye pas qu'il a tout intérêt à quitter les lieux avant que vous ne fassiez une procédure permettra dans 90 % des cas de régler le litige. Pourquoi prendrait-il le risque d'y

---

3. Voir le chapitre XV.

laisser sa voiture, qui est saisissable par un huissier, alors qu'il suffit de la sortir pour s'épargner des ennuis ?

Dans les deux cas, vous ne mettez pas une personne à la rue, vous ne la contraignez pas à loger sous un pont. Moralement, c'est important. Vous avez votre conscience pour vous. Il ne faut pas non plus négliger l'aspect psychologique. Pour vous et aussi pour vos proches. Surtout si vous avez du mal à les convaincre.

De plus, pour le locataire, il est quand même plus facile de trouver 100 euros pour louer un garage que 500 ou 600 euros pour honorer un loyer.

Et, pour finir, cerise sur le gâteau, toute vente dont le prix est inférieur à 15 000 euros est exonérée d'impôt sur la plus-value ! Une niche exceptionnelle qui n'a pas encore été rabotée.

Investir dans des garages est donc bien plus sûr et rentable que dans un appartement.

Ce sont toutes ces raisons qui m'ont amené à me lancer par ce biais-là en 2009.

Mon premier garage : Ma première leçon

Pour mon premier garage, j'ai respecté toutes les règles que je viens d'énoncer. J'avais vingt-trois ans. Et pour tout vous dire, des règles aussi simples, même un adolescent pourrait les suivre. Comme quoi, ce n'est pas compliqué : c'est même très facile à mettre en place.

Après une petite recherche sur *Leboncoin.fr* (dix minutes matin et soir, chaque jour, pendant une dizaine de jours), j'ai trouvé le bien que je voulais dans le XIVe arrondissement de Marseille, près de la station de métro Bougainville, dans une résidence située au sommet d'une butte, là où on ne peut habiter que si on est véhiculé.

Le bien correspondait donc aux critères. Et, après une courte hésitation, parce qu'on hésite toujours un peu quand on débute, j'ai décidé de l'acheter. Et plus précisément : de l'acheter comptant afin d'éviter tout risque. Cependant, je n'aurais pas dû procéder ainsi, mais contracter un crédit. J'y reviendrai dans les mécanismes d'investissement par effet de levier.[4]

Je me dois de préciser ici que je ne m'étais plus arrêté de travailler depuis mes dix-neuf ans, comme je l'avais souligné précédemment, et tous ces enchaînements d'emplois m'avaient permis d'économiser péniblement la somme de 25 000 euros. Une somme donc conséquente mais difficile à réunir puisque, à cette époque, je ne gagnais que le Smic horaire, soit plus ou moins 7 euros net de l'heure, ce qui représentait 1 300 heures de travail pour acquérir un box.

Vivant chez ma mère à ce moment-là, je me suis astreint à tout mettre de côté. J'ai donc respecté au maximum les règles de base permettant d'avoir des finances personnelles saines, la plus connue étant de mettre de côté au moins 10 % du montant de son salaire mensuel et de « se payer en premier ». Ce qui signifie mettre en place un virement automatique sur son compte d'épargne à la date d'arrivée de son salaire et de ne jamais retirer cet argent. Il est possible de commencer avec 5 % de son salaire et d'augmenter de mois en mois. Cela permet petit à petit de s'éduquer à vivre avec un petit peu moins.

Au moment de prendre la décision d'acheter ce garage, je me suis dit que ce n'était que de l'argent. Le garage se vendait à 10 000 euros et j'en avais 25 000 sur mon compte. Il s'agissait donc d'une somme importante que j'avais durement gagnée en travaillant en plus de mes études et qui allait faire diminuer considérablement mon épargne. Mais il fallait, à ce moment-là, que je saute le pas, que je me lance, que je l'achète pour franchir un cap et que je me débarrasse de toutes les peurs qui étaient alors encore en moi. Un peu comme quand vous êtes en haut du plongeoir et qu'il faut se jeter dans le vide. Vous savez

---

4. Voir le chapitre VI.

que l'eau amortira votre chute. Mais, tout de même, cette peur vous envahit. Au point que certains décident parfois de ne pas sauter.

« Tu es fou ! », « Tu ne vas pas mettre 10 000 euros ? Et si on ne te paye pas ? », « Si ça ne marche pas, comment tu vas faire ? », « Tu n'as pas travaillé dur pour jeter 10 000 euros par la fenêtre ! »

Ce sont toutes les peurs classiques. Et elles peuvent devenir votre pire ennemi, un véritable alter ego qui vient saboter votre futur. D'où l'importance de ne parler d'investir qu'à des investisseurs – seules personnes à comprendre vos projets.

Investir dans un garage est aussi fabuleux pour cela. En plus d'être le meilleur moyen de se débarrasser de ses peurs. En effet, les enjeux sont « faibles » à l'échelle des montants habituels lorsqu'il s'agit d'investissement immobilier. Il est possible de faire des erreurs sans risquer de se mettre en grande difficulté financière.

Dans ma tête, j'avais vite fait le calcul. En cas de problèmes ou d'échec, je n'avais qu'à revendre le garage, soit à la somme que je l'avais payé, majorée des frais de notaire – et je récupérais mon argent –, soit à 9 000 euros en catastrophe, et je ne perdais que 2 000 ou 3 000 euros.

Jamais, bien sûr, je n'aurais eu à le revendre à moitié prix. Et même si ça n'avait pas du tout fonctionné – hypothèse farfelue quand on utilise les bonnes méthodes, faut-il le préciser –, il me serait resté 15 000 euros sur mon compte.

J'attire votre attention sur l'importance capitale du premier investissement. Il n'est sûrement pas celui qui vous fera gagner le plus d'argent, mais il est certainement le plus important. Si vous vous plantez à cette étape où vous êtes encore fragile économiquement, psychologiquement, et alors que vous n'avez pas encore fait vos preuves auprès des banques notamment, les conséquences peuvent être importantes. Perte d'argent évidemment, perte de temps – car il vous faudra éventuellement revendre le bien : cela créera un décalage dans votre plan pour devenir rentier –, perte de crédibilité, voire perte de confiance en soi, ce qui est gravissime quand il s'agit d'investir. Certaines personnes de votre entourage pourront profiter de cela pour vous balancer le fameux *« Je t'avais prévenu ! »* très démoralisateur.

Et peut-être le plus important à mon sens : créer un dégoût de l'investissement du fait d'un mauvais retour d'expérience. Personne n'aime retenter une expérience douloureuse. Il faut faire en sorte que cela n'arrive pas lors des premiers investissements.

Si je m'étais planté à ce moment-là, en tant qu' « étudiant qui tente tout seul dans son coin de devenir rentier », je suis persuadé que je n'aurais pas réussi. Ou tout du moins que le décalage temporel aurait été énorme.

Bien sûr, il me serait resté 15 000 euros sur mon compte puisque j'avais économisé l'argent que je gagnais en travaillant et que j'avais appliqué les règles des finances personnelles depuis des années. D'où l'importance donc de savoir gérer son argent. D'où la nécessité de commencer.

Marquez donc cette page et, à votre tour, commencez à calculer combien vous pourriez mettre de côté chaque mois ! Mettez en place un virement automatique de 10 % de vos revenus ! Faites-le maintenant ! N'attendez pas ! Attendre, c'est prendre le risque que le quotidien efface votre bonne volonté du moment. Si c'est déjà le cas, réfléchissez à comment vous pourriez procéder pour faire grossir encore votre compte en banque sans travailler davantage. Parce que la philosophie d'un investisseur, c'est aussi de travailler moins pour gagner plus.

L'autre leçon à retenir de cet investissement est l'excès de zèle du débutant. J'ai voulu jouer au négociateur chevronné lors de la négociation et j'ai compris le sens de l'expression selon laquelle « ce n'est pas au vieux singe qu'on apprend à faire la grimace ».

Quand j'ai téléphoné au propriétaire-vendeur pour lui dire que j'achetais son bien, j'ai fait tout ce qu'il ne faut pas faire en négociation.

« Votre garage m'intéresse, mais ce n'est pas non plus le garage du siècle ! », lui ai-je dit avant de lister les défauts que je lui trouvais. J'y allais au bluff. Et pour preuve : il n'y avait pas de défauts. De plus, je m'empêtrais en lui prétextant que le bien était situé dans un quartier où existait une certaine insécurité alors que c'était une qualité.

À la fin de mon monologue, j'ai essayé de gagner 1 000 euros.

« Je vais réfléchir », m'a répondu le propriétaire.

Il n'a pas mis longtemps à me recontacter. Mais j'ai raté son appel. C'est donc sur ma messagerie vocale que j'ai découvert le fruit de sa réflexion.

« Écoutez, Monsieur Caillet, j'ai réfléchi. Je vais vous faire une contre-proposition. Effectivement, on va baisser un peu le prix. Au lieu de 10 000, je vais vous le faire à 9 999 euros ! »

Le propriétaire avait bien compris que son garage m'intéressait, qu'il était au bon prix et qu'il se vendrait. De plus, ce n'était pas son unique garage. En matière d'investissement, il était rodé. Pour lui, je n'étais qu'un petit qui débutait. *Mais il faut débuter !* Et je suis passé outre son « humiliation ». Les affaires ne doivent pas être une question d'ego. Je l'ai rappelé et nous avons conclu la vente. J'ai donc acheté ce garage à 10 000 euros hors frais de notaire, soit sans remise sur le prix.

Par la suite, je négocierai plus intelligemment pour un meilleur résultat et c'est ce qui me permettra de réaliser l'équivalent d'une année de salaire avec l'achat-revente d'un seul garage ou encore 60 000 euros avec un appartement de 35 m².

Dans la peau d'un investisseur

Investir dans un garage, ce n'est pas compliqué. Mais il faut s'intéresser un minimum au sujet avant de passer à l'action. Celui qui se rend à la visite sans avoir de connaissances en matière d'investissement a toutes les chances de se faire plumer.

Moi-même, je m'intéressais au sujet depuis plusieurs années quand j'ai réalisé ce premier achat. Et c'est comme ça que je l'ai conclu sans avoir réalisé, au préalable, une véritable étude de marché. Le garage n'était pas loué quand je l'ai acheté et je n'ai pas essayé de trouver des locataires avant de conclure l'affaire. Je ne vous recommande pas de faire de même. Mais sachez qu'un garage, sélectionné avec ma méthode, se loue toujours en moins de deux semaines. Jamais plus. À moins que vous n'ayez pas respecté les règles essentielles évoquées plus haut.

Comme je vous l'ai confié, l'image du propriétaire m'a accompagné depuis mon plus jeune âge. Et j'en ai toujours eu une image très précise. Je l'ai toujours imaginé avec un costume, une chemise et une cravate. Celui que l'on distingue dans la foule. Aussi, une fois que le garage m'a appartenu, quand j'ai dû partir à la recherche d'un locataire, j'ai enfilé ma plus belle chemise et passé mon plus beau veston – ce que je ne fais plus aujourd'hui quand je pars en visite ou en négociation. Maintenant, je sais que le propriétaire est une personne comme les autres, et que les « riches » ne sont pas différents de vous et moi. *Balayées les idées reçues !* Vous devez vous aussi en être convaincu.

On apprend de chaque expérience. Aussi ridicule que cela puisse paraître à l'heure d'Internet, lors de cette première mise en location, je n'ai pas hésité à déposer des *flyers* dans les boîtes aux lettres de la résidence de mon garage et dans les immeubles des alentours.

Je m'en souviens encore. J'y étais allé le matin. Peu avant midi. J'avais calculé qu'il y avait environ deux cents boîtes aux lettres dans la résidence et avais imprimé mes *flyers* en conséquence. Le premier appel ne se fit pas attendre. Je n'avais pas fini ma tournée que déjà quelqu'un qui rentrait chez lui pour déjeuner me téléphonait pour m'informer qu'il avait pris connaissance de mon annonce et qu'elle l'intéressait. Il s'agissait d'une personne âgée qui n'arrivait pas à trouver de propriétaire qui accepte de lui louer son garage, car il vivait des minimas sociaux, ce qui ne me gênait en rien. Au contraire, travailleur social en devenir, je voyais là l'occasion de réaliser un acte cohérent avec mon engagement professionnel. Nous avons donc signé le bail dans la foulée.

Comme vous le voyez, la vie d'investisseur n'est pas difficile. Les affaires se passent même parfois mieux qu'on ne l'imagine. D'autant plus qu'il aurait suffi de passer une annonce sur *Leboncoin.fr* et le box aurait été loué tout aussi vite. Pour autant, si vous souhaitez impérativement avoir un locataire de la résidence : la méthode des *flyers* est infaillible.

Revenus automatiques

Une fois le bail signé, le locataire a mis en place un virement automatique et l'argent a commencé à « tomber » sur mon compte. Rien d'étonnant, me direz-vous. C'est le deal. À lui le garage, à moi l'argent. Pourtant, il y a un fait très important à ne pas négliger. C'est celui de vivre l'expérience de l'encaissement des loyers.

Ce fut pour moi un événement fondateur. Surtout pour quelqu'un qui vient d'un milieu modeste ou de la classe moyenne. C'est-à-dire quelqu'un qui a l'habitude de travailler pour avoir un revenu. Je vous rassure donc : ça le fait à tout le monde. Et, pour essayer de vous décrire ce qui se passe dans notre tête au moment d'encaisser un revenu sans l'effort du travail, je dois vous confier que je suis resté huit mois sonné, huit mois interloqué. Je vivais une révolution. Un nouveau rapport à l'argent était né. J'avais encore du mal à comprendre. Parce que j'avais toujours eu l'habitude de travailler énormément pour gagner ce qui était, il faut bien oser le dire, une misère.

Tous les 10 du mois, il y avait 100 euros qui rentraient sans rien faire. 100 euros qui s'ajoutaient sur mon compte automatiquement. Je ne me déplaçais même pas pour récupérer la somme. *Virement automatique.* À chaque fois que je voyais ce montant se déposer sur mon compte en banque, je restais choqué. Oui, j'étais choqué de gagner de l'argent sans rien faire. Jusqu'à présent, pour gagner 100 euros, il fallait que je travaille pendant plus de quatorze heures. Je devais échanger quatorze heures de mon temps pour arracher cette somme qui me tombait désormais du ciel.

Outre le montant qui est assez faible dans cet exemple, c'est comme ça que je comprends, en quelque sorte, qu'il n'est pas forcément nécessaire de travailler pour gagner de l'argent. C'est une sensation vraiment fondatrice.

Pour la petite histoire, je n'ai jamais eu de problèmes avec ce locataire. Il m'a toujours payé. Et ce pendant plus de cinq ans. Jusqu'au jour où le virement n'a plus été fait. J'ai tout de suite cherché à savoir ce qui se passait. On m'a appris qu'il était décédé depuis plus de trois mois. J'ai compris alors qu'il m'avait payé trois loyers depuis l'au-delà.

Comme vous pouvez le constater, les garages sont vraiment un placement sûr.

VOS NOTES

....

....

....

....

....

....

....

....

....

....

....

....

....

....

....

....

....

IV

PREMIER BILAN

Les Bénéfices de mon premier investissement

Tout investissement est une leçon. On n'en ressort jamais identique. Mon premier garage m'a permis d'abandonner une bonne partie de mes peurs, de me débarrasser de toutes mes idées reçues sur « le » propriétaire et d'en devenir un. Cette première expérience m'a également permis de vivre cette sensation étrange que l'on ressent en encaissant les loyers chaque mois « sans rien faire ». Même averti, il faut le vivre pour savoir ce que ça fait. Et c'est fondateur d'un nouveau rapport à l'argent. C'est vraiment une étape à ne pas négliger.

L'acte d'achat en lui-même m'a également apporté une certaine fierté, une certaine euphorie. Quand je fus le propriétaire officiel du bien, j'étais vraiment comblé, comme un gosse qui venait d'acheter un jouet. C'est peut-être secondaire, puisque mon objectif final était la liberté financière, mais c'est important aussi. C'est en aimant ce que l'on fait et en vivant ce genre de sensations que l'on avance et reste motivé. Cependant, être propriétaire ne suffit pas. Quand on investit dans un garage, c'est pour gagner de l'argent. Après la signature, je ne pensais qu'à ça : le louer. Surtout que je n'avais pas fait d'étude de marché vraiment approfondie. Je savais que mon garage se louerait, mais je l'ai acheté sans savoir exactement combien.

Voilà une autre leçon de ce premier investissement : *Quand commencer ?* Si je n'étais pas un expert de l'investissement immobilier à l'époque et si j'en savais assez pour ne pas me faire plumer, j'avais quand même acheté ce bien sans savoir précisément combien je le louerais. Je n'étais donc pas certain du rendement. Je savais que je ne perdrais pas d'argent, certes, mais je ne savais pas si j'en gagnerais autant, plus ou moins que ce que j'en espérais. Je me suis lancé un peu dans l'inconnu. Sans attendre d'avoir un plan en béton armé. J'ai privilégié l'acte au plan d'attaque. Et j'ai eu raison. Ce doit être votre objectif premier si vous débutez. Si vous avez déjà investi, en revanche, votre objectif doit être l'enchaînement des achats.

Pour en revenir à ce garage, il est situé au sommet d'une butte, dans une résidence faite de plus de dix étages et cinq ou six cages d'escaliers, où le nombre d'habitants est plus important que le nombre de garages proposés et de places disponibles aux alentours. Rareté, incivilité, garage aux bonnes dimensions : les ingrédients étaient réunis. Mon garage ne pouvait être que loué.

Sur Internet, j'avais trouvé des annonces similaires variant de 70 à 100 euros. Là aussi, je n'ai pas hésité. Je l'ai proposé à 100 euros. C'était peut-être osé à l'époque – nous étions en 2009 –, mais ça a marché. Autre leçon donc de cet investissement : il ne faut pas hésiter à louer dans la fourchette haute du marché. Si vous pouvez louer au prix maximal, allez-y !

Je ne suis pas partisan de la stratégie d'investissement qui dit qu'il faut louer dans la fourchette basse des prix du marché pour attirer de nombreux locataires. En effet, si vous louez 10 à 20 % moins cher que les autres, ce sont des milliers, voire même des dizaines de milliers d'euros qui manqueront sur votre compte en banque au fur et à mesure des années et de vos investissements.

Un premier investissement est toujours un saut dans l'inconnu. J'ai réalisé le mien en trois semaines – soit en très peu de temps – et en mettant un loyer au prix fort.

« Rapidité », « Inconnu » et « Optimisme », voilà trois mots qui pourraient résumer ce premier achat. Ils ne doivent pas vous faire peur ou vous démoraliser.

« Rapidité » : Tergiverser amène à l'inaction et laisse la possibilité à autrui d'acheter à votre place. Ou encore à vos émotions de prendre le dessus.

« Inconnu » : Un investissement est toujours un saut dans l'inconnu. Il n'est pas possible de prédire ni au détail, ni au centime près ce qui va se passer. Il faut encadrer, minimiser les risques et sauter le pas.

« Optimisme » : J'ai osé demander le loyer maximum dès mon premier bien, c'est vrai, mais si vous êtes du genre à faire vos calculs dans une fourchette basse quand il s'agit d'évaluer la viabilité d'un investissement, ce n'est pas plus mal. Cependant, il faudra absolument maximiser le loyer perçu lors de la mise en location. Ce qu'il faut, quand vous êtes encore en phase d'estimation, c'est trouver un juste milieu pour ne pas rêver à des estimations tellement généreuses qu'elles sont impossibles à réaliser ou trop basses et qui vous feraient passer à côté d'une occasion à ne pas rater.

Un autre rapport à l'argent

Le rendement sur investissement de mon premier garage me faisait penser de la façon suivante :

En enchaînant les petits boulots, je gagnais 7 ou 8 euros net de l'heure. Il me fallait donc travailler plus de 14 heures pour arriver à rassembler la somme de 100 euros. Plus précisément, 80 euros si l'on enlève le montant des charges et de la taxe foncière de ce box. Là, je gagnais cette même somme de manière passive.

Pour rassembler la somme qui m'avait permis d'acheter ce garage (soit 10 000 euros), j'avais travaillé comme un forcené pendant plus de 1 300 heures. En ayant investi cette somme dans ce garage qui me rapportait 100 euros par mois, j'avais donc transformé ce stock de travail de 1 300 heures en une réserve infinie de 10 heures de travail par mois qui me seraient payées jusqu'à la fin de ma vie.

Par conséquent, j'avais travaillé plus de 1 300 heures pour avoir ce garage, mais ce temps n'était pas complètement perdu.

La Malice de l'investisseur

J'ai acheté un garage avant même de savoir comment y rentrer une voiture. Je suis passé à l'action avant même de savoir juger de la chose. Autrement dit : j'ai préféré investir avant d'avoir le permis de conduire et d'acheter une voiture.

La voiture est souvent un outil indispensable pour tout un chacun. Mais elle se révèle surtout être un gouffre financier au fil du temps. Après de multiples réparations, il faut la revendre à un prix très bas pour acheter une autre voiture qui ne pourra jamais être revendue à son prix d'achat. Et ainsi de suite.

Le consommateur perdrait donc de l'argent en achetant une voiture. Ce serait la loi du marché automobile et il ne pourrait pas en être autrement.

Je voudrais ici mettre fin à ce cliché et vous démontrer pourquoi la vie est vraiment différente quand on investit au lieu d'acheter.

L'un de mes amis investisseurs est passionné d'automobiles. Il s'est payé une *Porsche 911* sans pour autant être riche. Il a l'équivalent d'un revenu de cadre moyen et sa voiture a coûté 27 000 euros. Et il ne s'agit en rien d'un plaisir gratuit. En achetant ce petit bolide, cet investisseur a réalisé... un investissement. Parce qu'il s'agit d'une voiture de luxe, d'un modèle rare, le temps joue en sa faveur. Sa voiture ne peut que prendre de la valeur. Il ne pourra donc que la revendre plus chère que le prix d'achat et réaliser une belle plus-value.

Toute la différence entre celui qui investit et celui qui « achète », entre celui qui possède des actifs et celui qui possède des passifs se trouve là.

Penser comme un investisseur permet de voir la vie tout autrement. Même les voitures ne sont plus un gouffre financier. Non, elles ne sont plus un nécessaire moyen de locomotion qui vide le porte-monnaie : elles se révèlent un plaisir au quotidien et un véritable investissement. Conclusion : Quand mon ami décidera de se séparer de son véhicule, il le fera pour gagner de l'argent puisqu'il le revendra plus cher qu'il ne l'a payé.

Investissez au lieu d'acheter ! Votre vie, vos finances personnelles et votre regard sur les choses en seront changés.

Je suis bien sûr conscient que tout le monde n'a pas les moyens d'acheter une *Porsche*. En prenant cet exemple, mon intention est de vous sensibiliser sur la possibilité d'aborder un problème sous un angle différent afin d'en sortir par le haut. La voiture de mon ami est toujours un passif, mais un passif qui s'apprécie avec le temps : ce qui est nettement mieux, vous en conviendrez.

La Solitude de l'investisseur

Pas timide, pas cachottier, j'ai toujours aimé évoquer ma façon de penser et de voir la vie à mes amis, de leur dire ce que je pensais sur le moment, ce que je comptais entreprendre et, une fois fait, comment je m'y étais pris. Malheureusement, l'expérience m'a appris que quand on choisit de ne pas vivre comme tout le monde, quand on choisit de vivre de ses investissements, quand on projette de prendre l'immobilier comme « métier », il vaut mieux ne pas trop en parler, voire même ne rien dire du tout. Moins on en dit, mieux c'est. Surtout au départ !

Quand on n'a pas encore investi, on nous prend pour un fou. Quand on a investi et que ça marche, on nous jalouse.

C'est ainsi qu'après mon premier garage, j'ai dû apprendre à me taire. J'étais encore étudiant et j'enchaînais les petits boulots pour investir. Mes amis ne comprenaient pas. Un étudiant ne peut pas être propriétaire d'un garage. Ce n'est pas dans l'ordre des choses ! Un étudiant, s'il travaille, c'est pour payer ses études.

À cette époque, mes amis se plaignaient beaucoup de la difficulté de se garer dans le Ve arrondissement de Marseille. Je les écoutais. Attentivement. Mais je ne pouvais rien dire. Non, je ne pouvais pas leur confier que leurs paroles, leurs problèmes, nos discussions, me donnaient des idées pour investir.

Malheureusement, je ne pouvais pas l'évoquer avec eux. Avec l'indépendance financière vient aussi une certaine solitude. On sort du cadre normal. On se retrouve esseulé, puisque la majorité des gens ne s'y intéressent pas réellement. J'ai dû à titre personnel l'encaisser et l'accepter. Mais c'est une chose qui n'est plus indépassable aujourd'hui pour vous qui lisez ces lignes puisque de nombreux groupes d'investisseurs existent.

Discussion entre amis

Comment faire des affaires ? Comment trouver des garages ? C'est plus simple qu'on le croit et parfois ça arrive quand on ne s'y attend pas. Ainsi, c'est en entendant mes amis étudiants se plaindre des problèmes de stationnement dans le Ve arrondissement de ma ville que je vais me mettre sur le chemin d'un autre investissement. C'est en buvant un verre avec des personnes totalement étrangères au monde des finances personnelles que je vais me décider. C'est au cours d'une banale discussion que je vais reprendre les affaires.

Lors de discussions auxquelles vous assistez, lancez le sujet du stationnement ! Écoutez attentivement les réactions de vos interlocuteurs. Notez où ils habitent. Les problèmes spécifiques à chaque lieu. Cet exercice peut vous mettre sur une piste. *On apprend toujours des autres.* Écoutez leurs problèmes et répondez-y !

Garage = Tranquillité

En achetant mon premier garage, j'avais décidé d'attendre un an avant d'en tirer un premier bilan. C'était en réalité beaucoup trop long. Je venais à peine de commencer les investissements et je voulais voir ce qui allait se passer, si ça marcherait. J'avais besoin, à ce moment-là, de me rassurer en vérifiant concrètement la fiabilité de cet investissement. La vérité, c'est qu'il ne s'est rien passé. La routine la plus totale. Chaque mois, mon locataire a honoré son contrat, et ce pendant cinq années.

VOS NOTES

V

DANS UNE RÉSIDENCE DE 200 GARAGES

Jamais un sans trois

Le bilan de mon premier investissement s'étant révélé satisfaisant, avec plus de 10 % de rentabilité, j'ai décidé de poursuivre mon plan et d'acheter un nouveau garage au bout de neuf mois. Résultat : j'ai signé pour deux lots dans le IIIe arrondissement de Marseille. Leur prix ? 9 000 euros chacun.

Une super affaire ? Non. J'ai fait mieux par la suite. Et je tiens à le préciser tout de suite : ce type d'affaires existe encore aujourd'hui. Ce n'est pas une question d'époque. La bonne vieille rengaine qui dit que « le meilleur moment pour investir, c'était il y a dix ans » est fausse ! Parce que si le meilleur moment pour investir était il y a dix ans, cela signifie que, dans dix ans, le meilleur moment pour investir est aujourd'hui. Je vous invite donc à investir dès maintenant.

Les affaires en immobilier sont liées aux circonstances dans lesquelles votre vendeur vend, à vos compétences de négociation, au développement ultérieur du territoire dans lequel vous investissez et de nombreux autres facteurs. Mais pas à l'époque : à chaque époque ses possibilités d'investissement !

Techniques de professionnel : Une bonne affaire n'est pas un hasard

On apprend plus vite qu'on ne le croit. Si j'ai tardé à acquérir mon deuxième garage, si j'ai attendu inutilement pendant presque neuf mois, ce ne fut pas pour réitérer les erreurs commises lors de ma première expérience. Cette fois-ci, je fus beaucoup plus sérieux dans mes recherches. J'ai listé précisément ce que je voulais et calculé exactement combien cela me rapporterait.

Ainsi je savais que je louerais les deux biens entre 90 et 100 euros. Plusieurs annonces similaires étaient présentes sur *Leboncoin.fr.*

Les bonnes affaires sont partout. Il suffit de les trouver. Disons qu'elles vous attendent et que vous n'avez plus qu'à aller les chercher. Le tout, c'est de le vouloir. Ce n'est pas une question de chance.

Si j'ai pu réaliser une très bonne affaire, c'est parce que je suis tombé sur un « couple » de vendeurs... qui divorçait. Ils avaient pu vendre leur appartement, mais leur garage leur restait sur les bras. Pourtant, leur vie à deux était finie. Ils n'avaient plus rien à faire ensemble si ce n'est vendre ce garage.

Évidemment, sur l'annonce, il n'était pas écrit : « *Nous divorçons. Vite, nous ne nous supportons plus. Par pitié, venez nous aider à nous débarrasser de la dernière chose qui nous relie encore ! P.S : Pour les enfants, nous ne pouvons rien faire, nous les gardons.* » J'ai appliqué la méthode de recherche expliquée au chapitre III.

Pour pouvoir créer la bonne affaire sur ce coup, il fallait comprendre que la seule chose qui les reliait désormais était ce garage et qu'ils ne le voulaient plus. Ils avaient besoin de quelqu'un pour les aider à tirer un trait définitif sur leur relation. C'est ce que j'ai fait en m'intéressant à leur bien.

Il faut absolument comprendre les motivations profondes qui poussent le propriétaire à vendre son bien immobilier. Ainsi vous serez en mesure de savoir s'il souhaite réellement vendre rapidement et si vous pouvez diminuer le prix.

Ils en voulaient pour 11 000 euros. C'était trop pour moi. Autre point important : c'était légèrement au-dessus du marché. À 10 000 euros, leur bien serait vite parti. Inutile, bien sûr, de leur en faire la remarque ou de tailler en pièce leur propriété, comme j'avais essayé de le faire lors de mon premier investissement. Cette fois, j'ai adopté l'attitude inverse. Lors de la visite, j'ai clairement dit aux propriétaires que le bien m'intéressait, qu'ils avaient fait un bon achat. En effet, il est inutile d'essayer de dénigrer le bien. Les propriétaires-vendeurs risqueraient de se braquer et il serait alors impossible de négocier.

J'ai également parlé de mon plan d'investissement et n'ai pas caché que 11 000 euros étaient une somme trop importante et qu'elle ne me permettrait pas de continuer à investir. Aussi, j'ai fait une proposition à 9 000 euros. Il n'existe pas de recette magique. Les propriétaires ont refusé mon offre plus basse que le prix du marché.

Je ne me suis pas découragé pour autant. Je voulais ce garage. Alors, j'ai continué à le suivre sur *Leboncoin.fr.* J'ai pu ainsi constater que l'annonce réapparaissait régulièrement. Un mois plus tard, j'ai recontacté les propriétaires en leur proposant à nouveau 9 000 euros. Ils m'ont répondu non. Mais l'annonce a continué à réapparaître régulièrement. Trois mois après ma visite, j'ai donc décidé de les relancer par un simple SMS qui disait ceci :

« Bonjour,

Je vois que votre box est toujours en vente. Je suis toujours intéressé. Le marché actuel est en train de baisser, ce qui veut dire que demain vous allez vendre moins cher qu'aujourd'hui. Je vous propose à nouveau de le vendre 9 000 euros. Je pense que c'est l'une des dernières possibilités de le vendre à ce prix. »

Les propriétaires n'ont pas mis longtemps à me rappeler. Et

ce fut pour me dire oui.

Conclusion : Avec un minimum de connaissances – par exemple, savoir que le marché est à la baisse – et une bonne technique d'approche, il est possible de négocier. Pas besoin d'avoir des tonnes de connaissances. Il suffit d'avoir quelques éléments.

Les éléments ici étaient les suivants :

— Je connaissais la situation personnelle des vendeurs.

— Vendre permettait de clore cette histoire d'amour qui a mal fini et se lancer dans une nouvelle vie.

Techniques à connaître : Techniques d'investisseur

L'avant-visite est une étape clef. Souvent, comme c'était le cas pour celui-ci, les garages sont situés au sous-sol. Il faut prendre l'ascenseur ou traverser la copropriété pour y aller. Le trajet dure quelques minutes. C'est de ce moment précis qu'il faut se servir pour faire lâcher le maximum d'informations au propriétaire-vendeur ou à l'agent immobilier. Il faut profiter de ce moment où vous n'avez pas encore vu le bien et pendant lequel, dans son esprit, vous n'êtes pas encore en train de tenter de faire baisser le prix ou de mettre en place toute autre manœuvre de recueil d'informations.

Posez des questions ouvertes, laissez-le parler ! Cela permet de recueillir des informations que vous n'avez pas trop orientées en posant une question fermée, c'est-à-dire qui appelle automatiquement une réponse par oui ou par non, ou encore un seul mot.

Un « Alors, vous vendez votre garage/appartement ? » de votre part, qui est pourtant une question assez bête puisque vous savez évidemment qu'il vend son bien, peut entraîner un flot de paroles parfois difficile à interrompre !

« Comment avez-vous eu l'idée d'investir, vous ? » Bien sûr, cela ne vous intéresse pas forcément, mais l'idée est de donner l'impression au vendeur que vous vous intéressez à lui. Nous aimons tous parler de nous et nous montrer sous notre meilleur jour. *Donnez au vendeur l'occasion de parler !* Une telle question va le contraindre à développer : « Bah, non, monsieur, c'est pas un investissement, c'est ma mère qui nous a fait un don et, comme je souhaite aller vivre dans une autre ville... » ou encore « Ce bien est mon premier investissement immobilier. Là, je vends pour préparer une nouvelle opération. »

Une multitude d'informations se cache dans ces réponses. La première réponse indique que sa mère lui a fait un don : vous savez qu'il ne s'est pas tué à la tâche pour avoir ce bien immobilier, mais peut-être qu'il ne décide pas seul du montant de la vente. Pour autant, il a besoin de déménager : vous pouvez supposer qu'il souhaite vendre vite.

Engagez un dialogue en expliquant que vous avez grandi pas très loin, que vous jouiez au football ou à la corde à sauter à trois cents mètres de là : vous pouvez paraître familier. Ou, *a contrario*, expliquez que vous ne connaissez pas bien la zone mais que vous avez de plus en plus d'intérêt pour ce quartier. L'essentiel est de faire parler le vendeur à bâtons rompus.

Ne montrez jamais vos connaissances du marché immobilier, sauf dans le cas où vous devez paraître crédible pour arracher la vente à de nombreux autres acheteurs ou si vous êtes en face d'un professionnel qui cherche une certaine crédibilité de la part de son acheteur.

Vous devez scruter les réactions du vendeur. En fonction des réponses à ces questions ouvertes et de cette discussion à bâtons rompus qui aura créé la confiance, vous pouvez enchaîner sur des questions fermées pour compléter les informations qui vous manquent. Avoir la date d'achat permettra de savoir si le vendeur a acheté dans un marché plus haut, s'il fait une plus-value ou, au contraire, perd de l'argent et donc si vous pouvez négocier facilement. Une phrase du type « Ça coûte combien en mensualité un garage/appartement pareil ? » négligemment lâchée au moment où vous fermez la porte du garage (oui, parce que vous avez tenu à tester la serrure vous-même) et tournez donc le dos au vendeur permettra, dans de nombreux cas, de savoir si le vendeur a un crédit à rembourser, voire même de connaître le prix d'achat et le montant restant s'il est bavard.

L'idée n'est pas ici de développer plus encore l'art de la négociation, mais vous avez maintenant en main le kit de survie pour recueillir les informations de base. Au fur et à mesure du temps, vous développerez vos propres questions en fonction de votre personnalité et gagnerez en capacité de négociation.

Une bonne affaire pour cinq raisons

Pour ce garage, donc, j'ai fait une bonne affaire pour les cinq raisons suivantes :

1/ J'ai compris les motivations profondes des vendeurs.

2/ Ils voulaient vendre vite.

3/ Ils avaient fixé un prix au-dessus du marché – ce qui a fait que les propositions d'achat ont tardé alors qu'ils étaient pressés de vendre.

4/ Ils étaient prêts à descendre en dessous de leur prix d'achat (10 000 euros).

5/ J'ai su leur proposer un prix raisonnable.

Il faut bien comprendre ceci : dans l'immobilier, il y a des vendeurs et il y a des acheteurs. Il suffit de s'entendre à un moment donné pour faire affaire. Si vous arrivez à écouter, à comprendre le vendeur, pourquoi il vend, ne pas vous décourager si la négociation prend plus de temps que prévu, alors vous arriverez à négocier.

C'est ce que j'ai fait pour l'autre garage à 9 000 euros. Le cas était similaire : il s'agissait d'une séparation. Là aussi, ma proposition d'achat est venue comme une réponse à leur problème.

Mieux que le PEL

Une fois les négociations conclues, j'ai donc acheté ces deux garages à 9 000 euros chacun avec mon argent personnel. Avec le recul, il est facile de dire que c'était une erreur, mais il faut bien comprendre qu'il s'agissait d'une stratégie plus globale et bien précise que j'avais alors en tête.

Ce que je voulais, c'était tout simplement montrer aux banques que, malgré mon jeune âge – j'avais alors vingt-trois ans –, je savais investir, que j'étais quelqu'un de sérieux.

L'important était de prendre les devants. J'étais encore frileux pour oser contracter un crédit immobilier, mais je m'y préparais doucement. De toute façon, pour continuer d'avancer, je n'allais pas avoir le choix.

Je savais déjà qu'à partir du troisième ou du quatrième bien immobilier acheté à crédit, les banques deviendraient frileuses et ne prêteraient plus qu'aux « meilleurs dossiers ». En tant qu'investisseur, pour les rassurer, pour les convaincre de continuer à faire affaire avec nous, pour leur montrer que nous sommes dignes de leur confiance, il faut leur montrer que nous savons investir, et ce le plus tôt possible. C'est ce que ces deux nouvelles affaires m'ont permis de faire.

Loué à 90 euros le premier garage et 95 euros le second, il s'agit d'une affaire à plus de 12 % de rendement. Et riche aussi d'enseignement.

Cet exemple m'a fait comprendre que le plan épargne logement (PEL), que j'avais ouvert, avait un rendement minable. Je l'ai clôturé immédiatement. Et j'ai bien fait. Non seulement un garage rapporte davantage, mais, en plus, le PEL s'est révélé inefficace dans les années qui ont suivi. J'en veux pour seule preuve l'argument du taux avantageux prôné par le banquier quand il veut vous faire ouvrir un PEL en vous faisant miroiter que vous serez un jour « propriétaire » et ce à peu de frais. Les années qui ont suivi ont prouvé le contraire. Ainsi, les taux de crédit ayant baissé, si vous aviez déclenché aujourd'hui en 2017 votre PEL pour acheter votre résidence principale, vous alliez vous retrouver avec un taux réglementé de 3 %, tandis que si vous alliez à la banque pour négocier un crédit sans PEL, vous obteniez du 2 %... voire moins ! Ce genre de plan est inutile pour un investisseur, et je dirais même pour tout un chacun. Nous avons besoin de gérer notre argent à notre guise. Ne laissez pas votre banquier vous confisquer votre argent dans un plan qui vous empêche de retirer vos fonds comme vous le souhaitez ! La conclusion est donc la même pour les autres « plans » réglementés, assurance vie ou autres produits bancaires. Ils ne servent strictement à rien. Ce n'est pas avec ça que l'on s'enrichit. Au contraire, ils sont un frein et se révèlent parfois, à cause de leurs contraintes, être de sacrés bâtons dans les roues pour celui qui veut investir. J'irais même jusqu'à dire que la seule chose intéressante en banque est le crédit bancaire.

Pour ma part, je n'ai gardé que mon livret A, un LDD[1] et mon compte-courant, car les fonds sont immédiatement disponibles. Il est vrai qu'avec 0,75 % de rendement annuel l'épargne préférée des Français ressemble à une grosse arnaque en matière de rendement. Pour moi, le livret A doit être utilisé comme un fond de sécurité, une réserve d'où je peux sortir l'argent en cas de besoin ou d'urgence, et qui permet d'avoir ses fonds en sécurité et protégés contre l'inflation, plutôt que sous le matelas, mais pas plus.

---

1. Livret de développement durable.

L'Inutilité des *flyers*

Chaque investissement a été un enseignement. À chaque fois que j'ai fait une affaire, j'ai éliminé au moins une erreur. Par exemple, pour mon premier garage, vous vous souvenez que j'avais fait imprimer des *flyers* et que j'avais fait moi-même la tournée des boîtes aux lettres de la résidence pour les distribuer. Pour ma deuxième affaire, j'ai fait pareil. J'ai bien fait imprimer des *flyers*. Mais, cette fois-ci, j'ai fait sauter un blocage que j'avais. Ce blocage était le suivant : il fallait absolument que le locataire de mon garage habite dans la résidence de celui-ci. Je me disais qu'ainsi il payerait plus sûrement. N'allez pas me demander pourquoi ! C'était totalement irrationnel et stupide.

Pour ces deux nouveaux garages, je ne me suis donc pas limité aux boîtes aux lettres de la résidence en question. Non, cette fois-ci, j'ai cherché à démarcher les habitants des résidences alentour. Et puis, j'ai aussi déposé mes *flyers* sur les pare-brise des voitures garées dans les rues avoisinantes. *Pourquoi ?* Franchement, je ne sais pas, c'est totalement irrationnel à l'époque d'Internet.

Dans le fond, je pense que je voulais avoir des locataires le soir-même pour me rassurer (cette méthode permet en général d'avoir un appel dès le retour des habitants à leur domicile). Peut-être parce que deux garages représentaient pour moi, à ce moment-là, une double responsabilité, une double pression ?

J'ai dit plus avant que c'est un comportement totalement irrationnel et stupide. Non, en réalité, pas tant que ça. À ce moment-là, les enjeux étaient énormes pour moi : il s'agissait de mes tout premiers investissements. J'avais besoin d'agir pour me rassurer et même d'agir de manière irrationnelle. Je me disais qu'au moins j'aurais tout fait pour que ça marche.

Les premiers investissements ou les changements d'échelle (typiquement une personne souhaitant acheter un immeuble alors qu'elle n'a acheté que des appartements jusqu'à présent) sont chargés d'émotions qui viennent affecter votre jugement. Il s'agit généralement de peurs qui vous paralysent, mais, pour certains, c'est l'euphorie ou l'ambition qui les aveugle.

L'idée à retenir est qu'il ne faut pas laisser nos émotions nous affecter et garder la tête froide malgré les enjeux, ne pas nous laisser envahir et adopter des comportements stupides ou faire des choix irrationnels.

En ce qui concerne les *flyers*, inutile donc de perdre deux heures de son temps à les distribuer. Le résultat est, de toute façon, le même. En quelques jours, un garage est loué. Sept à tout casser.

VOS NOTES

....

....

....

....

....

....

....

....

....

....

....

....

....

....

....

....

....

VI

COMMENT SE CRÉER
UN AVANCEMENT DE CARRIÈRE SANS TRAVAILLER

Se créer sa propre augmentation

L'entrée dans le monde du travail arrive plus vite qu'on ne le croit et la sortie ne fait que s'éloigner au fur et à mesure des réformes du régime de retraite. *Jusqu'à sa disparition ?* D'où l'importance d'investir dès nos dix-huit ans ou tout du moins dès que c'est réalisable.

En prenant les devants très tôt, c'est propriétaire de trois garages et bénéficiant de 300 euros de revenus automatiques mensuels que j'ai signé mon premier CDI. Mon contrat de travail prévoyait un salaire mensuel net de 1 400 euros.

Grâce à mes investissements, chaque mois, je gagnais presque l'équivalent du quart de mon salaire en supplément.

Si j'avais suivi le chemin classique, il m'aurait fallu attendre d'avoir sept ou huit ans d'ancienneté pour pouvoir bénéficier d'une telle augmentation. Là, en moins de neuf mois, et ce avant d'avoir un emploi stable, je me l'étais créée moi-même.

C'est aussi une bonne raison de passer à l'action. Voulez-vous continuer à attendre des années pour voir votre salaire augmenter de manière significative ou pensez-vous qu'il serait préférable que vous l'augmentiez vous-même dès maintenant grâce à un investissement immobilier ?

La Nécessité du crédit

En achetant comptant mes trois premiers investissements,

j'avais, bien sûr, épuisé une bonne partie de l'argent que j'avais mis de côté. En 2010, il ne me restait donc que quelques milliers d'euros sur le compte. Mais j'avais acquis un petit patrimoine qui travaillerait pour moi toute ma vie, sachant qu'à ce moment-là mon espérance de vie était d'encore plus ou moins soixante ans.

1 700 euros par mois, c'est pas mal pour quelqu'un qui n'a que vingt-trois ans et qui vient de signer son premier CDI. D'autant plus quand on sait que le salaire médian de l'époque était de 1 600 euros mensuels. Mais je me retrouvais tout de même face à un problème : les quelques milliers d'euros restant sur mon compte ne me permettaient pas d'acheter de nouveaux biens immobiliers.

Le crédit immobilier... j'allais donc devoir y passer. Si, bien sûr, je voulais continuer à investir. Et, ce n'est pas une surprise : je voulais continuer.

Là réside une autre faille – et de taille – de ma théorie de l'époque de tout acheter comptant. Il arrive un moment où l'on se retrouve bloqué, où l'on est obligé d'attendre pour investir, et c'est ce qui s'est passé. 2010 fut une année blanche. Je n'ai rien acheté. Je n'ai pas investi. J'ai perdu douze mois. Ce qui fut déjà le cas suite à l'achat de mon premier box. Presque un an d'attente. C'est le prix que paye l'autodidacte, mais ce ne sera pas le cas pour vous.

L'Effet de levier : L'Atout numéro un de l'investisseur

Dans la majorité des cas, le crédit immobilier est le seul moyen pour commencer. *Parfait !* Car c'est de loin la meilleure solution. Peut-être que vous n'avez pas d'argent de côté et cela n'est pas un frein. Néanmoins, j'attire votre attention sur le fait qu'il vous faut au moins six mois de vos dépenses courantes sous forme d'épargne. Il n'y a pas de solution miracle et il ne s'agit pas d'emprunter à la légère et de se retrouver en difficulté par la suite.

Nombreuses sont les personnes qui n'investissent pas à crédit par peur de l'endettement. Moi-même, si je me suis fourvoyé dans « la stratégie de la fourmi », c'est parce que j'avais peur de contracter un crédit. C'était pour moi quelque chose d'effrayant. J'avais peur d'avoir des dettes. J'avais peur d'être dans l'incapacité de rembourser et que cela me ralentisse.

Mais il est important de balayer nos idées reçues, nos peurs et d'analyser les choses rationnellement : moins de 1 % des propriétaires ont des incidents de remboursement de leur crédit. Et comme je le répète très souvent à des investisseurs en herbe, moins de 3 % des locataires sont en impayés. *Grosso modo*, vous avez entre 97 et 99 % de chances d'y arriver si vous faites les choses correctement. *Et je n'exagère pas !*

Mais, plus encore, je crois que c'est l'ignorance de ce que l'on appelle « l'effet de levier » qui fait que nombre de personnes ne se lancent pas dans l'investissement immobilier à crédit.

Quand je parle d'ignorance, je veux dire : ne pas avoir en permanence à l'esprit que l'effet de levier est l'arme numéro un de l'investisseur. Peu importe son domaine d'investissement ! Mais plus encore dans l'immobilier, puisque c'est l'attrait numéro un de l'investissement immobilier.

Je vais décrire la magie de l'effet de levier en des termes simples :

1/ Vous achetez un bien immobilier avec l'argent de la banque.

2/ Le locataire rembourse la mensualité en payant un loyer.

3/ Vous êtes le propriétaire.

Certains diront que c'est un tour de passe-passe et ils auront sûrement raison.

Ne pas payer quelque chose avec son propre argent (crédit bancaire), faire rembourser quelqu'un à sa place (loyer du locataire) et être le propriétaire de ce quelque chose.

C'est quand cette idée, en ces termes très simples, est rentrée dans ma tête que j'ai réellement pu développer mon patrimoine, mes revenus et enfin arrêter de travailler.

L'effet de levier est quelque chose qui est tout simplement magnifique. Ce mécanisme ne doit plus jamais vous quitter. D'ailleurs, Archimède a eu une phrase célèbre pour expliquer sa puissance. Il disait : *« Donnez-moi un point d'appui et un levier, je soulèverai le monde ! »* Appliquée à l'immobilier, cela donne :

— Le crédit bancaire est le levier.

— Le point d'appui, c'est vous.

— Et le monde correspond à vos objectifs !

La solution est autour de nous

Quand j'étais encore étudiant, j'avais effectué un stage dans une agence immobilière sociale et un autre stagiaire, étudiant, lui, en BTS Immobilier, s'était évertué à m'expliquer en détail ce fameux « effet de levier ». Mais il me l'expliquait avec des mots incompréhensibles... et je n'y avais rien compris.

S'il m'avait expliqué simplement et clairement ce mécanisme, ma vie d'investisseur aurait peut-être commencé plus tôt.

Heureusement aussi que je ne me suis pas arrêté à cet imbroglio ! Je serais peut-être encore enfermé dans ma « stratégie de la fourmi » et serais encore collé à la chaise de mon bureau à faire des heures supplémentaires, et accroché à mon CDI en cherchant les bonnes petites affaires pour m'en sortir.

Il y a peut-être quelqu'un dans votre entourage qui vous a déjà évoqué un mécanisme du genre de l'effet de levier, mais que vous n'avez pas compris parce qu'il n'était pas clair dans ses propos ou que votre esprit n'était pas encore prêt à l'entendre. Rappelez-vous en cet instant d'une discussion lointaine qui avait suscité votre intérêt ou d'un article de blog qui vous avait paru trop complexe ! La clef de votre réussite se trouve peut-être là.

Pour réussir, il faut se débarrasser de tous ses blocages et étudier toutes les pistes. Parfois, on les a approchées de près sans s'en rendre compte.

Elles sont souvent à notre portée, dans un coin de notre tête, quelque part. Il suffit d'y repenser pour les réactiver.

Impressionner le banquier...

Au mois de mars 2011, débarrassé de mes appréhensions et de mes idées reçues sur le crédit, j'ai acheté mon quatrième garage dans le IIIe arrondissement de Marseille.

Il est important d'investir le plus tôt possible. Plus vite vous investirez, plus vite vous bâtirez votre crédibilité. Quand je suis allé demander un crédit à la banque, j'avais ma situation pour moi :

— Salarié en CDI

— Pas de dettes

— 3 sources de revenus mensuelles automatiques (pour un montant de 300 euros).

Je dois préciser qu'à ce moment-là j'avais pris mon propre appartement et que je payais donc un loyer. Mais avec trois investissements à mon actif, je n'étais plus comme tout le monde aux yeux du banquier.

Pour acheter ce quatrième garage, il me fallait emprunter 11 000 euros.

De mon côté, j'avais prévu de piocher dans mes réserves pour payer les frais de notaire. L'effort était sincère, mais peut-être inutile. En effet, quand ma banquière a étudié ma situation, elle fut tout simplement impressionnée. Elle avait devant elle un jeune de vingt-cinq ans qui, malgré un salaire de 1 400 euros et une ancienneté de un an dans le monde du travail, était à la tête d'un patrimoine immobilier de 37 500 euros. Même elle, à son âge – trente ans – et avec son expérience dans la finance, n'avait pas une telle situation. Et c'est bien de cela dont il s'agit. Créer un profil qui passe l'épreuve de la banque, plus précisément du banquier que vous aurez en face de vous, et améliorer ce profil tout au long de l'existence.[1]

La mensualité du crédit fut fixée à 82 euros pour une durée de quinze ans avec un taux à 3,9 %.

La mensualité du loyer fut fixée à 100 euros.

L'opération s'autofinance. Certains diront que c'est très bien. *Oui, c'est bien.* Je suis propriétaire de ce garage et amortis chaque mois une partie du crédit immobilier. Je m'enrichis donc avec le principe de l'effet de levier. Mais c'est de loin mon plus mauvais investissement à crédit. En effet, j'ai commis les deux erreurs que 90 % des débutants commettent :

— Payer les frais de notaire moi-même m'empêche d'utiliser pleinement l'effet de levier et me prive d'une partie de ma trésorerie.

— Contracter un crédit sur quinze ans au lieu de vingt ans : le cash-flow aurait été plus grand si j'avais eu un crédit plus long, ce qui aurait facilité les prochains investissements.

Attention ! Personnellement, je ne suis pas pour les emprunts sur vingt-cinq ans, contrairement à ce qui est souvent conseillé. En effet, le montant des intérêts est trop important par rapport à la diminution de la mensualité que l'allongement de la durée du crédit fait gagner. Les cinq premières années se résument à payer une part importante d'intérêts. Il est aussi important de

---

1. Voir le chapitre XVI.

rembourser le capital restant dû à la banque, ne serait-ce que si vous devez vendre le bien rapidement et pour avoir moins d'en-cours de crédits lors de vos prochains financements.

Cette opération sur quinze ans s'autofinance donc simplement une fois les charges déduites, ce qui n'était pas si mal pour un investisseur débutant. Je deviens propriétaire d'un bien supplémentaire que j'aurais pu vendre dès le lendemain de son achat 14 000 euros, puisqu'il s'agit d'un box de très grande taille vendu au prix d'un box simple. J'amortissais aussi 50 euros de capital chaque mois. Et plus de 60 euros au moment où j'écris ces lignes, car la part des intérêts dans la mensualité de crédit diminue avec le temps.

Mon patrimoine immobilier, lui, a pu augmenter. Il est passé de 37 500 euros à 51 500 euros. Pour un endettement de 11 000 euros.

« Mais cela au prix de quel effort ? », allez-vous me dire. En cinq étapes :

— une visite du bien

— un rendez-vous chez chez le notaire pour le compromis

— un rendez-vous chez le courtier

— un rendez-vous chez le banquier

— et encore un rendez-vous chez le notaire pour la vente définitive.

Une fois le bien acheté, il ne reste plus qu'à mettre l'annonce en ligne, effectuer la visite du bien pour les locataires et signer le bail.

Il y a des tâches plus fatigantes et des métiers plus usants. Vous travaillez quelques heures pour des résultats durables, pour être propriétaire à vie. De plus, un locataire reste entre deux et trois ans dans un box. Vous utilisez là aussi un effet de levier : quelques heures de travail pour des revenus récurrents.

Cette fois-ci, je ne me suis pas ennuyé à distribuer des *flyers*. J'ai mis mon annonce en ligne sur *Leboncoin.fr* et le tour était joué.

Pourquoi uniquement sur *Leboncoin.fr* ? Parce qu'il est inutile et trop fatigant de faire le tour des sites Internet. Il faut aller à l'essentiel. *Leboncoin.fr* est le leader dans son domaine. Si vous voulez louer rapidement, c'est sur ce site qu'il faut aller.

VOS NOTES

....

....

....

....

....

....

....

....

....

....

....

....

....

....

....

....

....

VII

COMMENT TROUVER DES PARTENAIRES
POUR AVANCER PLUS VITE

Autodidacte : Le prix à payer

Aujourd'hui, je n'ai plus besoin de retourner au salariat pour subvenir à mes besoins. Je profite de la vie à ma guise. Je suis indépendant financièrement. Chaque mois, j'encaisse des revenus à cinq chiffres.

Que feriez-vous avec un revenu mensuel à cinq chiffres ?

Je suis devenu indépendant financièrement en dix-huit mois. Je reconnais que c'est assez rapide. Mais je reste persuadé que vous pouvez faire beaucoup mieux. Moi-même, j'aurais pu faire mieux. *Et plus tôt.*

Le gros problème, dans mon parcours, c'est le temps, l'attente. Je pense ici au temps qui s'est écoulé entre chacun de mes investissements. Ce temps perdu est le prix à payer de l'autodidacte, comme j'ai pu l'évoquer. Pourtant, me voyant revenir régulièrement, ma notaire me disait : « Encore un achat, Monsieur Caillet ? »

Mais ce n'est pas ainsi que l'on devient rentier. Si vous souhaitez être rentier rapidement, il ne faut plus attendre. Vous devez implémenter immédiatement et massivement chaque nouvel apprentissage.

Jugez plutôt du temps perdu :

Il s'est écoulé quinze mois entre mon troisième et mon quatrième investissement.

Il s'est écoulé vingt et un mois entre mon sixième et mon septième investissement, comme nous allons le voir.

Il s'écoulera encore un an et demi entre mon huitième et mon neuvième investissement, comme nous le verrons plus tard.

Soit plus de quatre ans à attendre !

C'est trop.

Il faut enchaîner. Et vite. Il ne faut pas attendre.

La meilleure affaire, c'était, comme on dit toujours, et comme je vous l'ai expliqué dans le cinquième chapitre, il y a dix ans. Il ne sert donc à rien d'attendre. Il faut enchaîner le plus possible.

Il est vrai que j'ai acheté mon troisième garage un mois après le deuxième. Il est vrai que j'ai acheté mon cinquième garage juste après le quatrième. Et ainsi de suite. Mais doubler les affaires ne permet en aucun cas de rattraper le retard creusé par l'attente. Trop longue en ce qui me concerne.

Parfois, on se retrouve bloqué. Parce qu'on a acheté deux, trois ou quatre appartements, et que les banques ne veulent plus nous prêter. Parce qu'on n'a pas assez d'argent de côté.

Il ne faut pas en faire une montagne indépassable.

L'objectif est d'enchaîner, d'enchaîner toujours. Autant qu'on le peut !

Il faut cravacher. Aller le plus vite possible.

Si on a acheté à crédit, le temps est en notre faveur. Plus il passe, moins il reste à rembourser. On crée donc du capital. De plus, sur le long terme, un bien immobilier prend de la valeur. D'autant plus qu'il s'agit ici de se créer du rendement et non de faire un achat-revente. Si votre rendement est bon, vous êtes immunisé contre les baisses de marché puisque vous ne cherchez pas à vendre le bien.

104

À partir d'un certain nombre de biens, une fois que l'on est financièrement indépendant, que l'on ne dépend plus d'un salaire pour vivre, je crois que l'immobilier devient un jeu. Il y a beaucoup d'investisseurs qui le disent. Et je dois vous confier que ça commence à devenir le cas pour moi aussi. Il ne s'agit plus de « cravacher » mais de prendre plaisir à investir.

Investir avant de dépenser

En continuant ma « stratégie de la fourmi », j'ai voulu investir de nouveau dans un garage. Pour cela, j'ai dû renflouer les caisses. C'est la raison pour laquelle, pour pouvoir acheter seul, je vais devoir attendre le mois de janvier 2013, soit vingt et un mois, ce qui est trop long, mais, à l'époque, c'était voulu. J'étais persuadé qu'il s'agissait de la meilleure façon de faire. Je mettais chaque mois 1 000 euros de côté avec mes revenus de mon travail principal et de mes investissements, et pouvais encore en rajouter 1 000 à 1 500 en occupant un emploi de veilleur de nuit. Il est vrai que cela peut paraître beaucoup, mais j'avais un mode de vie frugal. Et ce n'était pas une contrainte pour moi : j'ai toujours été comme ça.

Et puis, ainsi, je suivais les recommandations pour avoir des finances personnelles saines à la lettre :

— Économiser, puis investir avant de dépenser.

— Utiliser les revenus générés par les investissements pour réinvestir.

Ma vie était dédiée au travail, à mes investissements. Aujourd'hui, je reconnais que c'était une attitude excessive et que j'aurais pu faire mieux, davantage, et surtout autrement si j'avais eu les connaissances nécessaires dès le départ. Mais c'est ainsi. Chacun son histoire. Vous avez la vôtre. Personne n'a à complexer des erreurs qu'il a pu commettre. L'essentiel est de continuer à avancer.

Il aurait été plus sage et motivant d'utiliser une partie des revenus générés par les investissements pour réinvestir et l'autre pour se faire plaisir. J'ai donc continué d'économiser au maximum pendant vingt et un mois pour atteindre 30 000 euros alors que j'aurais pu emprunter immédiatement 100 000 euros à la banque. L'un n'aurait pas empêché l'autre.

Le meilleur moyen d'avoir des opportunités est d'en être une vous-même

J'ai toujours cherché des opportunités d'affaires, des moyens d'améliorer mon existence, d'améliorer mon niveau de vie, et tout simplement de me sortir de mon milieu social de départ.

L'association semblait être un des meilleurs moyens d'aller vers de nouvelles opportunités, tenter des deals plus importants. Au début, j'ai eu du mal à trouver des associés. Les personnes qui m'entouraient émettaient l'idée de s'associer et finalement ne le faisaient jamais. Les gens « ayant réussi » que j'abordais ne semblaient pas forcément plus intéressés que ça. Je ratais des opportunités, en permanence, me disais-je. Cela m'attristait et m'énervait beaucoup. Je rejetais la faute sur le manque de volonté des autres, sur leur manque d'ambition, leur incapacité à partager et créer un collectif pour avancer plus vite et plus loin.

Puis, à force de me questionner là-dessus, j'ai fini par abandonner l'idée de pouvoir un jour m'associer. J'ai « tracé ma route seul ». Jusqu'à avoir un début de réussite dans mes investissements et m'apercevoir qu'il y avait en réalité une solution pour avoir plus d'opportunités. La solution était de devenir soi-même une opportunité pour les autres. Quand vous représentez une solution pour quelqu'un, une possibilité d'investissement, une source de savoir, une possibilité d'association, de partenariat, une aide, vous devenez finalement un aimant à opportunités. Au point même de devoir refuser des propositions.

Aussi, dès que j'ai trouvé une affaire intéressante, c'est naturellement que j'ai proposé à l'ami que j'estimais le plus sérieux d'investir avec moi.

Je ne l'ai pas choisi au hasard. C'était celui qui s'intéressait le plus aux investissements. Il avait tout le savoir, mais il ne le mettait pas en pratique. Il ne cessait d'économiser son argent, mais il attendait toujours. C'était l'occasion de le lancer.

Il faut savoir regarder autour de soi, observer, et en tirer le meilleur parti.

Problème = Solution

L'offre semblait très intéressante. Il s'agissait d'un lot de trois garages situés dans le Ve arrondissement de Marseille, l'un des quartiers où les box de garage sont les plus chers et où le stationnement est le plus difficile. Mes collègues de BTS n'arrêtaient pas de le dire.

La propriétaire-vendeuse en voulait pour 45 000 euros. C'était un véritable cadeau. Dans le quartier de l'arrondissement en question, un seul garage valait au moins 20 000 euros.

Je ne pouvais pas rater cette occasion. J'avais 30 000 euros de côté. Ce n'était pas assez pour acheter.

Il fallait donc que je contracte un crédit... Mais je n'en avais pas envie.

Crée-toi un problème : tu trouveras une solution ! J'avais un problème. Il ne restait plus qu'à créer la solution. J'ai décidé de faire appel à mon ami en question.

La SCI n'est pas une fatalité

Il y a des bonnes affaires partout. Elles ont toujours une bonne raison d'en être une.

Si la propriétaire vendait à un si bas prix, c'est parce qu'il s'agissait de la propriété de son mari, lui aussi investisseur immobilier passionné, qui venait de décéder.

Veuve, elle se refusait à faire de l'argent avec les garages de celui qu'elle aimait encore. Ce qu'elle voulait, c'était rompre ce lien affectif et elle avait, à cet effet, engagé un agent immobilier pour réaliser la vente au plus vite.

Avec mon ami, nous l'avons aidée à cela.

Ce que nous avons fait est simple. J'ai acheté deux garages et mon ami un.

Pour cela, nous n'avons pas créé de SCI ou autre société. J'en profite pour arrêter ici une idée fort répandue : il n'est pas obligatoire de monter une société civile immobilière (SCI) pour « acheter à plusieurs ». Quand votre objectif est simplement de ne pas rater une opération sans pour autant vous lier officiellement.

Il est nécessaire de créer une société pour acheter un seul lot à plusieurs si vous souhaitez échapper à l'indivision. En revanche, si ce sont plusieurs lots qui sont à céder par le même vendeur, c'est différent. Il est possible de les répartir à plusieurs acheteurs, sur le même acte de vente et donc sur le même titre de propriété.

Sur le même acte de vente, nous avons indiqué que j'étais le propriétaire du box n°1 et du box n°2, et que mon ami était propriétaire du box n°3. Ce fut aussi simple que cela. Et c'est ce qui nous a permis de faire diminuer les frais de notaire. En effet, plus le prix de vente est haut, plus les frais de notaire sont bas en proportion, et finissent par se stabiliser au-delà de 60 000 euros. Autour de 8,5 % du prix d'achat.

Cette méthode m'a permis d'acheter deux nouveaux garages alors que les trois n'étaient pas à ma portée. Il était nécessaire d'acheter le lot. L'agent immobilier n'aurait pas vendu séparément. Seul, j'aurais raté cette occasion.

Travailler la bonne affaire...

Même si la propriétaire vendait en dessous du prix du marché et que nous étions prêts à payer le prix demandé pour lui acheter son lot, nous avons quand même essayé de négocier le tout à 30 000 euros. Nous savions que ça ne passerait pas. C'était la moitié de la valeur réelle des biens. Mais notre culot, et aussi notre travail de discussion avec l'agent immobilier pour comprendre les motivations profondes de la vente, ont payé. La contre-proposition ne s'est pas fait attendre. Quelques heures plus tard, l'agent immobilier nous proposait le tout à 36 000 euros.

Nous avons bien sûr accepté et ma part s'est élevée à 24 000 euros.

Très vite, j'ai compris qu'en revendant l'un de mes garages à son prix réel, soit plus ou moins 25 000 euros, car un des box était plus grand que les autres, c'était comme si j'avais acquis un garage gratuitement.

Spéculation pure : 98 % de plus-value sans travaux ou comment acquérir un box de garage gratuitement

Nous avons très vite loué nos garages et décidé d'encaisser les loyers durant un an. Rien à signaler de ce côté-là. En revanche, pour procéder à une vente aussi vite, j'étais en difficulté.

La loi est très claire : si je revendais le bien au prix qui m'intéressait, soit 25 000 euros, il y aurait « lésion ». Très peu de personnes – y compris des investisseurs expérimentés – connaissent cette notion de « lésion » et je dirais que c'est normal : on ne risque pas d'en faire tous les jours ! Moi-même, je ne connaissais pas cette notion avant qu'elle me tombe dessus.

Dans les deux ans qui suivent l'achat d'un bien immobilier, la loi estime que si vous revendez le bien, dans le même état,

7/12e plus cher, soit 58 % de plus que son prix d'achat, il y a « lésion » du vendeur initial. Il s'agit de spéculation pure et la loi considère que votre vendeur peut se déclarer lésé d'une partie de la valeur du bien.

Pour ce box de garage acheté 12 000 euros, il ne fallait pas dépasser un prix de vente de 19 000 euros. « Problème » : avec ce garage, je réalisais 98 % de plus-value avant impôt.

Le véritable problème est que le vendeur initial peut casser la vente ! Il peut s'estimer lésé des 7/12e de la valeur de la vente. Le notaire de son côté est contraint d'attirer votre attention au moment de la vente sur les risques juridiques. C'est ce qu'il a fait. Et c'est comme ça que j'ai pris connaissance de cette notion de « lésion ».

Il y avait deux solutions. Attendre deux ans avant de revendre ou en informer le vendeur initial et obtenir son accord afin de supprimer le risque. S'il avait refusé de donner son accord, j'aurais bien sûr toujours pu attendre deux ans. J'ai choisi la seconde option. En effet, la vendeuse savait très bien qu'elle vendait son bien très peu cher et cela n'était pas un problème pour elle. Elle voulait juste s'en débarrasser.

Une fois la vendeuse informée, j'ai fait comme je le prévoyais : j'ai mis une annonce sur le site *Leboncoin.fr*. J'en demandais 28 000 euros. En quelques jours, même pas deux semaines, une personne m'a contacté et m'a fait une proposition à 25 000 euros.

Je me moquais un peu à ce moment-là de le vendre 28 000 ou 25 000 euros. Je voulais le vendre vite pour pouvoir continuer mes projets. J'ai donc accepté la proposition. Dans ce genre d'opération, il faut choisir un prix de vente très ajusté au prix du marché afin de vendre vite. Je n'ai effectué qu'une seule visite.

Il s'agissait pour moi d'une affaire en or. J'ai acheté deux biens, en ai revendu un et me suis retrouvé remboursé. Cet investissement m'a permis de répondre à la question : « Comment acquérir un garage gratuitement ? »

Ce garage « gratuit », je l'ai toujours. Il me rapporte 100 euros tous les mois.

Il pourrait être revendu 20 000 euros, soit l'équivalent de 18 mois de Smic.

J'insiste sur ces chiffres. Parce que si vous découvrez le monde de l'immobilier avec ce livre, je souhaite que vous soyez intimement convaincu qu'une opération qui prend quelques dizaines d'heures au maximum peut générer une année de salaire.

Pourquoi ne feriez-vous pas vous aussi une opération spéculative sur un lot de la sorte afin de vous permettre d'avancer plus rapidement ?

VOS NOTES

....

....

....

....

....

....

....

....

....

....

....

....

....

....

....

....

....

VIII

VISITER UN APPARTEMENT
OU COMMENT JOUER UNE PIÈCE DE THÉÂTRE

Comme il est simple de trouver une idée

Il est très simple de trouver une idée. Bien plus simple qu'on ne le pense. Comme je l'écrivais dans le chapitre VI, la solution se trouve autour de nous. Il suffit de regarder attentivement ce qui nous entoure, de l'étudier, de s'en inspirer, de se demander ce que nous pourrions en faire, pour y trouver le moyen d'investir.

Après avoir investi dans six box de garage, je me suis intéressé à l'habitation. Et ce pour raison familiale. À cette époque, j'avais pris mon propre appartement et ne vivais plus chez ma mère. S'il ne me dérangeait pas d'être, moi, locataire, je tenais à ce que ma mère, elle, n'ait plus à payer de loyers d'ici quelques années. D'autant plus que celui-ci s'élevait à 600 euros pour un logement de 33 m^2 seulement. C'était un peu trop cher à mon goût, notamment par rapport à la surface.

J'aurais voulu qu'elle commence à investir à son tour, histoire d'assurer ses arrières. Quand on attrape le virus de l'investissement, on a envie que les siens fassent de même ou en profitent. Je suppose que c'est votre cas aussi.

Le petit problème, c'est que ma mère, bien que toujours en CDI, n'était pas particulièrement intéressée par les finances personnelles. Si elle avait été un investisseur comme vous vous apprêtez, je l'espère, à l'être, cette question ne se serait pas posé. Elle serait déjà millionnaire depuis des années à l'âge de soixante ans. Mais, comme elle n'avait pas le cœur à investir, je l'ai fait moi-même. J'ai acheté un appartement pour qu'elle en soit la locataire jusqu'au jour où j'aurais les moyens financiers de ne plus lui demander de loyer. Ce qui est le cas aujourd'hui.

Il y a vraiment des bonnes affaires partout...

La recherche de cet appartement a été très simple. Je n'ai pas fait le tour des agences immobilières. J'ai tout simplement consulté les annonces présentes sur *Leboncoin.fr* ainsi que celles de *SeLoger* pour comparer. En aucun cas, je n'y ai consacré mes jours et mes nuits. J'ai appliqué là encore la méthode des « 10 minutes matin et soir ».

C'est ainsi que je suis tombé sur un T2 de 39 m^2 d'une valeur de 85 000 euros proposé à 58 000 euros dans le IIe arrondissement de Marseille.

Comment ai-je trouvé cette aubaine ? En cherchant de manière régulière et méthodique. Je ne peux donc que vous encourager à faire de même pour réussir vos projets.

Et pourquoi cet appartement était-il en vente à un prix si bas ? Pour une raison simple : il s'agissait d'une succession.

Il faut savoir que dans ces cas-là les héritiers ont parfois des sommes à payer pour régler la succession. C'était vrai pour cet appartement et c'est ce qui explique son bradage. Il n'y a rien sans raison.

Il faut savoir les saisir...

Repérer une bonne affaire ne suffit pas. D'autres sont comme nous. Ils les cherchent aussi.

Le petit-fils de la famille héritière était agent immobilier et cela s'est vu immédiatement. Le jour de la visite de l'appartement, quand je suis arrivé sur les lieux, il y avait déjà six ou sept personnes qui attendaient. Ce n'était pas un hasard. C'est une tactique que mettent en place les agents immobiliers pour faire monter la pression et pour réduire au maximum la tentation de négocier le prix du bien.

En voyant cela, j'ai compris que j'avais un nombre élevé de concurrents et que, si j'essayais de faire le malin, l'affaire pouvait me passer sous le nez.

Heureusement, j'avais préparé mon coup ! Je me suis présenté avec presque tous les documents nécessaires à un dossier de demande de crédit sous le bras. C'est ce qu'il faut faire lorsque l'on visite un bien qui risque de se vendre rapidement. Il ne faut rien laisser au hasard et préparer à l'avance un dossier en béton. Je dirais même en béton armé. Il faut être le meilleur, tout simplement. Et ce n'est pas forcément compliqué : la majorité des personnes que vous aurez en face de vous ne seront pas des investisseurs aguerris. Elles viennent en visite comme je vais dans une exposition d'art contemporain : en touristes.

Pour cette visite, j'avais donc préparé tous mes justificatifs de revenus, d'épargne et mes titres de propriété : tous les documents qui me permettaient de montrer que j'étais solvable.[1]

Présentez-vous avec un dossier complet afin de prouver au propriétaire que c'est vous qu'il doit choisir ! Je parle de choix parce que, malheureusement, les bonnes affaires sont souvent suivies par de nombreuses personnes. Vous aurez donc de la concurrence. Le propriétaire choisira l'acheteur qui lui semble le plus apte à mener la vente à son terme.

Il fallait qu'à ce moment précis la personne que j'allais avoir en face de moi puisse se dire : « *C'est lui que je vais choisir ! Il a l'air plus motivé que les autres. Il a tout préparé. Il semble plus solvable que les autres. Etc.* »

---

1. Même s'il est interdit pour quiconque de demander votre relevé bancaire, vous pouvez, si vous estimez que c'est en votre faveur, le présenter.

À chaque fois que je me suis présenté à une visite d'appartement, je me suis toujours préparé ainsi. J'ai toujours apporté ces documents. On n'a pas le droit de rater une bonne affaire.

À ce jour, je reste persuadé que lors de cette visite il y avait au moins une personne qui avait un dossier équivalent ou supérieur au mien. Notamment un couple sans enfant avec deux CDI. Pourtant, c'est moi qui ai remporté l'achat parce que l'agent immobilier a vu que j'étais le mieux préparé.

J'insiste : chaque étape pour obtenir une vente est importante. Plus vous apporterez de soin à chacune des étapes, moins vous aurez de risques d'échec et moins vous passerez de temps à chercher. Le découragement du fait de recherches mal organisées est une des causes majeures de l'abandon des recherches par des investisseurs débutants.

Et pas besoin d'être inhumain pour ça

Une visite d'appartement est une pièce de théâtre. Tout le monde joue un rôle et il faut savoir se vendre. Il y a des techniques à adopter. Et pas forcément celles que l'on croit. Ainsi, pas besoin d'être inhumain ou de devenir la caricature de l'homme d'affaires.

Oubliez les préjugés sur l'argent et sur les investisseurs immobiliers ! Pour remporter ce bien, j'ai expliqué très simplement pourquoi il m'intéressait et ce que je voulais en faire : le louer à ma mère pour qu'elle vive dans un quartier qu'elle affectionne et dans un appartement compatible avec son état de santé.

Plus tard, l'agent immobilier me confiera m'avoir choisi aussi parce qu'il avait trouvé mon projet émouvant.

Une affaire à l'achat...

Il ne faudrait pas se laisser endormir par le ressenti de l'agent immobilier. Même si j'ai acheté cet appartement pour ma mère, il s'agissait d'un véritable investissement que je réalisais là. Sans faire quoi que ce soit, mon patrimoine net grimpait de 27 000 euros.

En effet, un appartement d'une valeur de 85 000 euros vendu à 58 000 euros reste un appartement qui vaut 85 000 euros. J'aurais donc pu le revendre dès le lendemain 85 000 euros et encaisser 27 000 euros avant l'impôt sur la plus-value, soit plus ou moins 17 000 euros générés avec l'achat-revente d'un seul appartement et sans aucuns travaux, ce qui représente une plus-value nette de 30 % en quatre mois.

Mais ce n'était pas l'objectif. Cet appartement est toujours dans mon patrimoine, placé dans le IIe arrondissement de Marseille, où il ne fait que prendre de la valeur du fait de la plus grosse opération de réhabilitation urbaine en Europe qui se déroule actuellement dans ce quartier.

Et grâce au crédit

La faible somme demandée par les vendeurs m'a permis de contracter un crédit de quinze ans seulement, tout en autofinançant l'opération. Mais comme je l'ai déjà évoqué, un crédit sur vingt ans aurait été plus approprié afin de diminuer la mensualité.

Mensualité du crédit : 435 euros.

Mensualité du loyer : 600 euros.

Malgré un rendement brut autour de 12 %, cette opération reste plutôt orientée création de patrimoine puisque le meilleur de l'affaire se trouve dans le temps. En revendant tout de suite le bien, j'aurais encaissé 17 000 euros. Cependant, en laissant passer les années, je diminue le montant du capital que je dois encore à la banque et laisse les prix de l'immobilier augmenter. Ainsi, aujourd'hui en 2016, il y a maintenant cinq ans que je suis propriétaire de ce bien et que je rembourse ce crédit.

En début 2017, je pense pouvoir le vendre 95 000 euros, ce qui me permettrait de faire une plus-value de 37 000 euros et de récupérer plus de 55 000 euros du fait du capital déjà remboursé.

En effet, dans une mensualité de crédit amortissable (le crédit immobilier classique), il y a une part d'intérêts et une part de remboursement du capital emprunté.

La répartition entre le capital amorti et les intérêts varient en fonction du taux du crédit et de l'assurance (plus il sont élevés, plus les intérêts sont élevés) et la durée du crédit (plus la durée est longue, plus les intérêts sont élevés).

Au fur et à mesure du temps, le pourcentage d'intérêts dans une mensualité diminue et donc le pourcentage du capital remboursé augmente.

Pour vous donner le détail :

58 000 euros (montant de mon emprunt)

– 18 000 euros (montant du capital remboursé fin 2016)

= 40 000 euros restant à payer à la banque (nommé « capital restant dû »).

95 000 euros (prix de vente possible fin 2016)

– 40 000 euros (somme restante à payer à la banque)

= 55 000 euros pour moi avant impôt sur la plus-value, qui s'élèverait à plus ou moins 10 000 euros. S'ajoute que chaque année qui passe entraînera une diminution du montant de l'impôt sur la plus-value.

Revendre le bien fin 2016 permettrait de gagner 45 000 euros net.

Une très belle opération quand on se souvient que cinq ans plus tôt j'avais acheté cet appartement 58 000 euros.

Je n'envisage pas non plus le calcul de l'opération que j'aurais pu faire si je l'avais loué à un inconnu. Le loyer aurait été certainement plus élevé, notamment en meublant le bien et en appliquant la technique du *home-staging*.[2] Dans la limite du prix du marché, mais sans sentiments.

Pour la petite histoire, et c'est bien aussi pour ce type de raisons que vous vous intéressez aux investissements, aujourd'hui, ma mère ne me paye plus de loyers : je n'en ai plus besoin. Ce qui était une nécessité au départ pour pouvoir continuer d'avancer, pour ne pas que la banque me considère comme étant trop endetté, ne l'est plus et ne le sera plus jamais grâce à la puissance de l'investissement immobilier, qui génère des revenus perpétuels. Des revenus aussi élevés permettent de mettre à l'abri vos proches et vous-même. Les soucis financiers s'évanouissent.

---

2. Voir les chapitres XIII et XV.

....

....

....

....

....

....

....

....

....

....

....

....

....

....

....

....

....

IX

LA PLUS-VALUE

Remake : Toujours plus

Pour avancer dans vos investissements, l'entourage peut être aussi bien désespérant qu'un vivier de partenaires potentiels. On peut parfois se sentir seul ou décider de tracer la route de son indépendance financière sans associé. Mais on peut aussi se retrouver un meneur à certains moments. Par exemple, quand certains se révèlent convaincus par nos investissements. Nos capacités sont alors décuplées. Vous serez toujours plus fort à plusieurs que seul.

En septembre 2012, j'ai découvert un lot de douze box de garage à vendre au prix de 162 000 euros.

Je n'avais pas cette somme. Et, cette fois, compte tenu du montant total de l'achat par rapport à mes revenus du moment, il m'était inutile d'aller à la banque essayer de négocier un crédit : il m'aurait été impossible de l'obtenir.

Pourtant, je voulais faire cette affaire. J'ai donc décidé d'impliquer un ami dans cet achat : il prendrait une partie des box et moi l'autre, sans que nous soyons acheteurs en indivision. Chacun est propriétaire de ses box et en fait ce qu'il souhaite, de la même manière que je l'avais déjà fait pour une opération précédente. *Et tant mieux pour moi !* Car, à l'heure actuelle, je n'ai que très peu de contact avec cette personne. Avoir fait un achat dans le cadre d'une SCI, par exemple, nous aurait liés plus que ce qu'il était en réalité nécessaire.

Nous avions donc un lot à 13 500 euros l'unité à cinq cents

mètres de la gare Saint-Charles. Douze garages neufs et de très bonne dimension.

Un promoteur immobilier avait construit une résidence étudiante de cent dix logements, avec services.

Cent dix logements, mais seulement trente garages au sous-sol. On retrouve donc la règle qu'il faut absolument suivre : plus d'habitants que de places de parking, en l'occurrence quatre fois plus. Il est évident que les box allaient se louer très facilement. D'ailleurs, les trois quarts étaient déjà loués et je savais que je pouvais augmenter le loyer de 40 %, car ils étaient loués à un prix très bas. En l'occurrence, autour de 80 euros là où c'est louable entre 110 et 120 euros.

Les cent dix appartements étaient déjà vendus et loués depuis un an et demi, l'affaire tournait bien pour le promoteur, sauf qu'il y avait un petit caillou dans sa chaussure. Il cherchait à vendre chaque garage 17 000 euros pièce depuis la fin de la construction. Or, le prix acceptable pour le quartier était de 13 500 euros environ.

Il n'arrivait pas à s'en débarrasser aussi vite que voulu. Néanmoins, il avait réussi à trouver dix-huit acquéreurs au prix de 17 000 euros, ce qui indique qu'il y avait une certaine demande, même à un prix aussi élevé. Mais pas assez pour finir la vente des douze derniers box.

Le promoteur se retrouvait donc avec douze garages sur les bras et ne savait qu'en faire. Voyant qu'il n'arrivait pas à vendre, il a donc décidé de baisser le prix de vente à 13 500 euros et c'est là que nous sommes entrés en jeu.

Comme j'ai pu le préconiser dans les chapitres précédents, il faut se mettre à la place du vendeur, ici un énorme promoteur immobilier. Il a réalisé une opération très rentable. Avec la vente de cent dix appartements, il a généré un chiffre d'affaires compris en 9 et 12 millions d'euros et il ne lui reste plus qu'à encaisser entre 100 000 et 200 000 euros grâce à douze garages, ce qui représente 2 % de son chiffre d'affaires.

Seulement 2 % du chiffre d'affaires restant à générer le bloque depuis plus d'un an pour terminer un programme immobilier : une situation inacceptable pour une telle entreprise.

Dans une opération comme celle-là, le promoteur se moque bien de ces 100 000 euros et des poussières. Lui, ce qu'il veut, c'est finir sa vente, clôturer son dossier.

Avec mon ami, nous avons donc procédé à une enquête de terrain. Nous sommes allés visiter la résidence et avons discuté avec le gardien. Nous avons appris de sa bouche qu'une salariée d'une agence immobilière était mobilisée pour finir la commercialisation, mais que l'agence se trouvait à Lille et qu'elle avait chargé le gardien de la résidence d'effectuer les visites. Lui était épuisé d'enchaîner des visites pour des box qui ne se vendaient pas, d'autant plus qu'il avait les cent dix logements étudiants à gérer et que nous étions en pleine période de rentrée scolaire. C'est ce gardien qui nous a appris que le prix de vente initial d'un garage était de 17 000 euros à l'origine, mais que, ne parvenant pas à vendre, le promoteur avait baissé le prix à 13 500 euros.

Nous sommes donc passés à l'étape suivante. Nous avons contacté l'agent immobilier par téléphone et nous sommes présentés ainsi :

« Nous sommes deux investisseurs, avons déjà des box de garage dans ce boulevard et sommes intéressés par les garages en vente. Nous souhaiterions pouvoir acheter l'intégralité des garages. Pouvez-vous nous envoyer les différents documents afin d'étudier l'opportunité de cet achat ? (Il s'agit des baux en cours, des taxes foncières, charges de copropriétés, plans.) »

Négocier comme un pro par mails

Suite à ce premier contact, nous avons attaqué les négociations par mails.

Je vous propose ici la retranscription intégrale de la négociation avec mes commentaires afin de vous permettre de négocier de la même manière.

La négociation par mail est souvent nécessaire avec des professionnels. Elle permet de contenir ses émotions et d'avoir le temps de réfléchir correctement à ses réponses, ce qui est nettement moins évident en face à face. Les mails peuvent paraître simples. Ils le sont dans leur forme. En revanche, le fond est très étudié et répond à une méthodologie bien précise que je vais vous dévoiler.

« 4 septembre 2012, 14 h 38

Bonjour,

J'ai pris connaissance du document concernant les box de garage à vendre.

Nous serions intéressés par l'achat de la totalité des lots.

Après comparaison avec les box que nous possédons déjà au boulevard National, et compte tenu du nombre important de box que nous proposons d'acquérir, nous souhaitons nous porter acquéreurs de la totalité des lots restants contre une remise de 30 %.

Ce qui correspond à un prix de vente de 114 000 euros.

Ce prix nous semble correspondre au prix du marché baissier actuel, et semble être un bon compromis entre votre volonté de vendre rapidement et notre volonté d'acquérir à un prix permettant un retour sur investissement suffisant.

Cordialement,

Romain Caillet »

Plusieurs points très importants dans ce mail :

— Répondre à la problématique principale du vendeur : nous achetons l'intégralité des lots en une fois.

— Argument d'autorité et preuve sociale pour se détacher d'éventuels concurrents et être crédibles : nous indiquons que nous possédons déjà des box dans le boulevard.

— Nous demandons un rabais plus important que le rabais que nous souhaitons en réalité afin d'atteindre notre cible : ici, nous proposons 9 500 euros par box en visant 11 000 avec comme argument que le marché est baissier.

— Nous n'argumentons que très peu pour ne pas nous dévoiler et attendons de voir la réponse.

« 4 septembre 2012, 18 h 57

Bonjour M. Caillet,

Je reviens vers vous au sujet de votre proposition pour l'acquisition de 12 garages.

Votre proposition nous paraît très basse par rapport au prix du marché et nous vous faisons une contre-proposition à 12 000 euros le garage, soit 144 000 euros.

Le prix de départ qui était de 17 000 euros a déjà été baissé à 13 500 euros. Une remise complémentaire de 30 % n'est pas envisageable.

La résidence est neuve, avec un gardien sur place et un système de vidéosurveillance, de quoi sécuriser les locataires et faciliter ainsi que pérenniser les locations.

Je reste à votre entière disposition pour tout renseignement complémentaire.

Cordialement,

Clotilde D. »

— Premièrement, nous sommes très surpris par la rapidité de la réponse – moins de cinq heures –, ce qui est assez rare par mail et dans l'immobilier. Nous émettons donc l'hypothèse que notre profil et que notre offre les intéressent, que nous paraissons crédibles.

— Une baisse de 10 % vient d'être actée, très bien.

— L'agent dit qu'une baisse de 30 % n'est pas envisageable. Elle ne dit pas qu'il n'est pas possible de faire baisser le prix encore plus par rapport à cette contre-proposition. C'est très important de bien lire entre les lignes. Nous pouvons donc continuer, d'autant plus que la cible n'est pas atteinte.

— Elle argumente de manière cohérente, mais ne ferme pas la porte de la négociation. Elle cherche donc un point d'équilibre pour le prix de vente.

Nous répondons de la manière suivante :

« 4 septembre 2012, 21 h 08

Bonsoir,

Tout d'abord, je tenais à vous remercier d'avoir répondu aussi rapidement. Mon associé et moi avons pris soin d'étudier votre contre-proposition et tenons à vous dire que nous apprécions l'effort de 1 500 euros par box consenti par les propriétaires. Néanmoins, au vu des loyers pratiqués actuellement, la rentabilité brute d'une telle opération serait de 7,5 % et proche des 3,5 % en rentabilité nette, ce qui ne permettra pas d'atteindre un cash-flow à zéro. En tant qu'investisseurs, ce point est un impératif pour nous.

De ce fait, et toujours dans une optique de satisfaire les deux parties, nous vous faisons une nouvelle offre à 10 500 euros par garage, soit 1 000 euros supplémentaires par garage, soit 126 000 euros le tout.

Cordialement,

Romain Caillet »

— Premier point très important : être poli !

— Remercier notre interlocutrice pour le travail effectué et la rapidité. Nous récompensons la qualité de son travail, ce qui est flatteur : nous devenons une source de plaisir. Si nous avions décidé d'être plus rudes, nous aurions été une source de déplaisir, ce qui est plus difficile pour la suite des négociations. De plus, le mail risque d'être transféré à un échelon hiérarchique supérieur ou au vendeur. Elle sera ravie de notre formulation : son travail est reconnu par le client, cela plaira à son responsable ou autre.

— Nous récompensons la diminution du prix de vente et reconnaissons sa valeur en utilisant le terme *« effort »* et en notant le rabais en valeur absolue (1 500 euros). À titre de comparaison, lorsque nous avons demandé une réduction du prix, nous n'avons pas demandé 3 000 euros par box ou encore 53 880 euros sur le lot, mais 30 %. La valeur perçue est plus petite, ce qui nous avantage. Très souvent, demander une réduction en pourcentage passe plus facilement.

— Pour autant, nous cassons immédiatement cette dynamique de reconnaissance en proposant un argumentaire qui semble rationnel et en utilisant un jargon adapté. *« Les loyers actuels sont trop bas. Nous avons besoin de faire une opération blanche* a minima *(cash-flow à zéro). »*

— En mettant en avant la notion de cash-flow à zéro, nous montrons que nous ne sommes pas gourmands. La preuve : nous ne gagnons pas d'argent ! Implicitement, notre argumentaire est validé. Évidemment, nous savons que nous allons rehausser les loyers et avoir un cash-flow positif dans l'année qui vient.

— Nous faisons une contre-offre en valorisant à notre tour nos efforts : 1 000 euros de plus par box. Soit 10 500 euros, juste en dessous de notre cible : 11 000 euros.

« 5 septembre 2012, 11 h 11

Bonjour M. Caillet,

Merci de votre réponse.

Les baux actuels sont des baux d'un an résiliable avec un préavis d'un mois par les deux parties. Il est assez aisé d'augmenter les loyers et ce assez rapidement.

En partant sur un loyer de 80 euros hors charges (certains garages sont même loués à 90 euros hors charges), votre rentabilité s'accroît sensiblement.

Après négociation avec les propriétaires, le prix minimum qui peut vous être proposé est de 11 000 euros par garage, soit 132 000 euros, frais d'agence compris, ceux-ci étant à la charge du vendeur.

Je reste à votre disposition pour tout renseignement complémentaire.

Cordialement,

Clotilde D. »

— Toujours une réponse rapide, le lendemain à 11 h 11, alors qu'elle a sûrement pris son poste autour de 9 h. Soit tout a été calé la veille avec un prix de vente en dessous duquel ne pas descendre, soit elle a rapidement pris contact avec les propriétaires.

— Elle argumente de manière cohérente en expliquant que les loyers peuvent être augmentés aisément, mais ne semble pas connaître le potentiel locatif de ces garages.

— La cible des 11 000 euros est atteinte. Peut-être aurions-nous pu viser 10 500 ? Nous ne le saurons jamais et il faut savoir se contenter d'une bonne affaire. Sans aucun jeu de mot immobilier, il faut parfois considérer que « le mieux est l'ennemi du bien ».

« 5 septembre 2012, 12 h 42

Bonjour,

Nous acceptons votre proposition à 11 000 euros par box, soit 132 000 euros pour l'ensemble des lots.

Pourriez-vous m'appeler sur mon téléphone portable afin que nous organisions la suite de la vente, notamment la marche à suivre pour le compromis, puisque, si je ne me trompe pas, vous êtes à Lille et nous à Marseille.

Merci par avance.

Cordialement,

Romain Caillet »

La négociation était donc pliée en moins de vingt-quatre heures.

Cela ne se passe pas toujours ainsi, mais vous êtes, avec cet exemple, en possession des mécanismes principaux pour négocier par mail. Vous pouvez aussi les appliquer à l'oral, mais cela demande une plus grande dextérité, car il faut répondre instantanément.

Le Meilleur Atout de l'acheteur

Cet exemple est riche d'enseignement. Il montre qu'il y a toujours des raisons à une bonne affaire, qu'elle n'est jamais le fruit du hasard. Entre nos recherches, l'enquête de terrain, la négociation par mails, les motivations du vendeur, vous pouvez vous apercevoir qu'un ensemble de facteurs est conjugué.

Le vendeur a toujours une raison de vendre. S'il vend, ce n'est pas pour rien, et cette raison peut être notre meilleur atout. Elle peut tourner largement à notre avantage. Ici, en l'occurrence, le promoteur avait terminé son programme, la construction était finie depuis un an et demi. De plus, autre raison pour laquelle c'était une bonne affaire : moins de deux ans après la fin d'un programme immobilier, on peut considérer que le bien est neuf.

Par conséquent, le promoteur était obligé de vendre vite parce qu'il avait des exonérations applicables uniquement au neuf. C'était une « queue de programme », comme on dit dans le jargon. C'est souvent l'occasion de faire diminuer le prix de vente, mais encore faut-il le savoir. Et, de notre côté, il fallait qu'on achète rapidement parce que les frais de notaire sont moins élevés quand un bien est neuf.

Toutes les affaires que j'ai faites ont ce point commun : le vendeur est pressé de se débarrasser de son bien et d'encaisser une somme suffisante. Mais pas forcément aussi élevée que celle qu'il demande.

En avançant dans l'immobilier, on s'aperçoit que ça n'a rien de sorcier, que c'est même banal. Que les affaires immobilières sont partout pour celui qui a les méthodes adaptées pour les débusquer et les travailler. Ici, nous avons pris une affaire immobilière rentable pour en faire une affaire immobilière très rentable grâce à un travail de négociation.

Savoir partager et s'associer

Pour continuer à se développer, il faut savoir partager. Il ne faut pas chercher à être le plus gourmand.

Avec mon ami, nous nous sommes répartis le lot ainsi :

— Huit garages pour lui.

— Quatre garages pour moi.

Et, tout comme moi, à ce moment-là, il n'avait pas un salaire supérieur à 1 400 euros.

Ces quatre box génèrent 430 euros par mois et je rembourse un crédit de 238 euros[1]. Ils s'autofinancent donc aisément et je dégage même un cash-flow positif.

En intégrant les frais de notaire, j'ai payé 45 000 euros ce lot de quatre garages.

C'est l'équivalent d'un studio loué nu. Sauf qu'un studio coûte 60 000 euros grand minimum.

À cela s'ajoute que cette opération m'a permis d'augmenter mon patrimoine immobilier d'une manière conséquente en une seule fois.

En valorisant les box de garage à la hauteur du prix d'achat, j'ai augmenté mon patrimoine immobilier de 44 000 euros.

En s'appuyant sur la valeur réelle des biens, j'ai augmenté mon patrimoine immobilier de 54 000 euros (4 x 13 500).

Fin 2016, la valeur unitaire d'un box est d'environ 15 000 euros et sûrement un peu plus puisque le promoteur a réussi à vendre plusieurs garages à 17 500 euros. Par conséquent, si je revendais ces quatre garages aujourd'hui, ce serait avec une plus-value comprise entre 35 % et 55 %. Ce qui est plutôt honorable dans un marché immobilier globalement baissier depuis des années. J'attire donc votre attention sur le fait qu'une opération peut être rentable en toutes circonstances si vous achetez à un prix bas et dans un secteur en devenir. Ce qui est le cas, par exemple, pour les abords de la gare Saint-Charles à Marseille. D'autant plus qu'il s'agit d'une ville qui est en pleine reprise et qu'un véritable engouement est en train de se créer en matière d'investissement immobilier.

---

1. Le chiffre indiqué est celui de l'achat et non de la renégociation des crédits qui a eu lieu à la fin de l'année 2016.

Et plus encore

Je l'ai déjà dit. Le changement de locataire d'un garage est plus simple que le changement de locataire pour un appartement.

L'expérience m'a montré qu'une personne qui loue un garage reste environ trois ans.

Ces quatre garages-là étant situés dans une résidence étudiante, je suis assuré d'avoir toujours du monde. Mais la gestion aurait pu paraître plus complexe. La durée de location moyenne pourrait être plus proche des douze mois que des trois ans, du fait du *turnover* des étudiants.

Pourtant, et c'est ce qui arrive quand on avance dans l'immobilier, je n'ai même pas à utiliser mon temps pour chercher de nouveaux locataires. C'est le gardien de la résidence qui le fait à ma place, car il souhaite que les étudiants aient un accès privilégié aux box de garage. En effet, il y a tellement de résidents (cent dix) et si peu de garages (une trentaine) que le gardien inscrit les étudiants sur une liste d'attente longue d'une année. Par conséquent, quand l'un de mes garages se libère, je prends mon téléphone, j'appelle le gardien, et je prends comme locataire le prochain étudiant inscrit sur cette liste d'attente.

Si je voulais pousser l'automatisation jusqu'à son maximum, il suffirait que je propose au gardien de le rémunérer pour signer le bail à ma place.

Pour le moment, je ne le fais pas. Décrocher mon téléphone et effectuer une visite ne me dérangent pas, on a vu pire comme boulot... d'autant plus que ça me permet de garder un œil sur l'évolution de la résidence et du quartier. *Mais sait-on jamais !* Avec l'immobilier, en avançant, il nous vient des réflexes qui nous paraissaient absurdes avant de commencer.

Fondamental : La Plus-value se fait à l'achat

Un véritable investisseur immobilier vous dira toujours qu'une bonne affaire immobilière se fait à l'achat, quand on signe chez le notaire, et non plusieurs années après, lors de la revente. *C'est vrai.* Et l'acquisition de ces garages démontre très bien pourquoi.

J'en profite donc pour vous expliquer ici plus en détail pourquoi on fait une bonne affaire à l'achat et non dans dix ans lors de la revente.

La plus-value se fait lors de l'achat quand on achète le bien en dessous du prix du marché. Comme je l'ai fait avec ce lot de garages.

Il est important de comprendre le concept de plus-value. C'est toute la différence entre un investisseur et un acheteur lambda.

Souvent, les investisseurs débutants ne comprennent pas ce concept. Ils pensent qu'en achetant un T3 de 100 000 euros, c'est parce qu'ils le revendront 150 000 euros quinze ans plus tard qu'ils pourront alors se payer un plus bel appartement grâce à la plus-value qu'ils auront faite, soit 50 000 euros.

C'est un jeu de dupes. *Tout simplement.*

Si leur T3 se revend 150 000 euros quinze ans plus tard, ils ne pourront se payer qu'un T3 plus ou moins équivalent à 150 000 euros. Tout le marché immobilier du secteur aura plus ou moins évolué de la même manière.

Dans l'immobilier, une bonne affaire ne se fait pas demain ou après demain, quand « le prix de l'immobilier aura augmenté ».

Dans l'immobilier, une bonne affaire ne relève pas du « futur », mais du présent. Elle se fait à l'achat. Quand vous signez chez le notaire.

Pour cela, ce qu'il faut, c'est acheter en dessous du prix du marché. La question que vous devez vous poser est la suivante : *Si je revends mon bien juste après avoir signé l'acte d'achat, combien est-ce que j'encaisse ?*

Ce que j'encaisse, c'est la plus-value.

Plus la plus-value est élevée, meilleure est l'affaire.

Ce qu'il faut rechercher, c'est la plus importante plus-value possible à l'achat. C'est ce que l'on appelle une « plus-value latente ».

On peut y rajouter aussi : Combien de cash-flow positif est-ce que je dégage ?

Si vous ne faites pas de cash-flow positif, ce n'est pas une bonne affaire.

Une affaire immobilière, c'est du concret et de l'immédiat à mon sens. Ce n'est pas une spéculation sur quinze ou vingt ans.

Nous sommes des investisseurs. Nous ne sommes pas des voyants, même si nous devons être capables de cerner l'évolution probable du marché.

Nous achetons des maisons, des appartements, des garages, des immeubles, des locaux commerciaux : nous ne jouons pas au casino. Même si, parfois, il est possible d'avoir l'impression de jouer au *Monopoly* avec de vrais biens immobiliers.

Les acheteurs des décennies précédentes ont connu le boom de l'immobilier et l'augmentation des prix avec des plus-values folles sans aucun effort. Certains disent que c'est fini. *Très bien !*

Mais il faut vivre avec son temps. Notre époque est celle du « cash-flow positif ». Nous connaissons la période de taux de crédit immobilier la plus basse de l'histoire. Emprunter à des taux faibles et louer au-dessus de 8 % est accessible à tous. La différence une fois les charges et impôts déduits restera dans votre poche.

Nous sommes dans une période où il n'a jamais été aussi simple d'avoir un cash-flow positif.

Il n'a jamais été aussi simple de se créer un revenu de rente avec l'immobilier.

Profitons-en !

VOS NOTES

....

....

....

....

....

....

....

....

....

....

....

....

....

....

....

....

X

FAUT-IL ACHETER SA RÉSIDENCE PRINCIPALE ?

Une séparation qui va changer ma vie

Vaut-il mieux être propriétaire de sa résidence principale ou vaut-il mieux être locataire le temps d'investir ?

Je ne voudrais pas écrire : *« Telle est la question ! »* Mais il est vrai que nous nous sommes tous interrogés à ce sujet qui se révèle être un véritable casse-tête pour tout investisseur.

Une séparation va me permettre de répondre – un temps – à cette question. À la fin de l'année 2012, alors que je me sépare de ma compagne et que je me retrouve seul à payer le loyer de l'appartement, je me fais la réflexion suivante : « Payer pour payer : Autant se payer soi-même ! ». Ainsi, au lieu de payer un loyer à un étranger, autant contracter un crédit pour être propriétaire de sa résidence principale.

Contrairement à ce que beaucoup pensent, dans la grande majorité des situations, il vaut mieux rester locataire de sa résidence principale. Si vous souhaitez réellement investir en série et devenir rentier, il est important de ne pas utiliser une partie de vos capacités d'endettement pour quelque chose d'improductif. Nombreuses sont les personnes qui, une fois leur résidence principale achetée, se trouvent endettées autour des fameux 33 %. Elles ont acheté « l'appartement de leurs rêves » en utilisant au maximum leur capacité d'endettement et en se créant de nouvelles dépenses (taxe foncière, charges de copropriété), ce qui rend plus difficile l'accès au crédit. Si vous êtes sur le point d'acheter votre résidence principale, réfléchissez-y à deux fois !

En tant qu'investisseur, l'achat de la résidence principale ne doit s'envisager que quand vous avez atteint ce moment merveilleux où les banques vous prêtent alors que vous n'avez plus de CDI et que vous êtes certains qu'elles le feront encore. Et ce même si vous avez un encours important pour l'achat de votre résidence principale.

Du point de vue pratique, être locataire de sa résidence principale permet aussi d'expliquer au banquier que vous souhaitez acheter tel bien immobilier pour en faire votre future résidence principale. Ce qui augmentera vos chances de financement. Surtout si vous êtes jeune et que vous estimez que la banque ne vous considérera pas comme un investisseur crédible. Cette « excuse » permet aussi de financer un appartement pour de la location de courte durée plus simplement. Puisque les banquiers sont en général assez frileux pour ça. Et vous pouvez recommencer l'opération autant de fois que vous le souhaitez. Il suffit de demander le financement à une autre banque, qui n'aura pas connaissance de votre « mensonge », tout relatif puisque vous avez le droit de changer d'avis sur l'utilisation du bien une fois devenu propriétaire.

Pour toutes ces raisons : acheter ma résidence principale ne fut pas la meilleure pensée que j'ai eue. Pour autant, avoir acheté ma résidence principale va changer ma vie, comme nous le verrons plus tard.

Après avoir abordé la question de la résidence principale, j'aimerais continuer sur une question assez difficile puisqu'elle vient toucher à l'organisation de nos vies en dehors de la sphère de l'investissement immobilier. En effet, ces questionnements autour de l'achat ou la vente de la résidence principale se posent dans la majorité des cas lors d'une mise en couple, une séparation, et implique un impact direct sur votre quotidien et celui de la personne avec qui vous partagez votre vie. Souvent, vous ne pourrez répondre à ces questions seul.

Cela m'amène très naturellement à la question suivante : Comment envisager une réussite en investissement immobilier et gagner sa liberté si vous n'êtes pas accompagné de la bonne personne ? C'est un point crucial qui, à un moment ou un autre, viendra vous mettre des bâtons dans les roues si la personne que vous aimez ne partage pas votre vision de la vie. Au cours des séminaires auxquels j'ai participé, dans les groupes Masterminds[1] dont je suis membre, j'ai rencontré énormément d'investisseurs qui ont lâché leurs rêves à cause de mauvais choix dans leur vie de couple. Je ne veux pas franchir la porte de la chambre à coucher en disant cela, mais je pense que ce sujet mérite toute votre attention. La personne qui partage votre vie peut être un moteur extraordinaire ou se révéler être le pire des boulets. Quand votre vie privée et vos rêves se télescopent, il est nécessaire de faire un choix. C'est donc ce que j'ai été amené à faire puisque nous avions une vision finalement assez opposée en terme d'objectifs de vie et surtout des moyens à mettre en place pour les atteindre.

Tout comme il est nécessaire de choisir le bon cercle amical afin d'être entouré de personnes positives, des choix s'imposent aussi dans votre vie la plus intime.

Comme je l'ai écrit au début de cet ouvrage, c'est à vous de décider en dernière instance. Écouter l'avis d'autrui : oui. Mais ne vous laissez pas parasiter par « les bruits du monde » !

L'Importance des partenaires

L'investissement immobilier est une rencontre avec soi-même. Si vous le prenez comme un défi, ce sera un défi avec vous-même, jamais avec les autres. Je pense que se lancer dans l'immobilier pour montrer aux autres de quoi on est capable est une grave erreur. N'oubliez pas ce que disait un philosophe

---

1. Un groupe Mastermind est un groupe formé par différentes personnes qui se réunissent régulièrement pour s'aider mutuellement à atteindre leurs objectifs. Ce livre vous offre un droit d'accès au groupe secret *Facebook* de « Adieu Patron ».

bien connu : « L'enfer, c'est les autres. »[2] L'investissement, c'est vous, votre vie. C'est une décision qui n'appartient qu'à vous, qui ne regarde que vous. Une décision qui, en plus de vous permettre une plus grande liberté, vous amènera à trouver en vous des ressources insoupçonnées, et qui s'avérera une source d'apprentissage plus que bénéfique.

Cependant, les autres aiment bien se mêler de nos affaires. Surtout immobilières. Sans pour autant avoir le courage de faire de même.

Il faut donc aller chercher les investisseurs là où ils sont. Il faut aller les dénicher. Savoir les détecter. Et le plus tôt sera le mieux. Encore une fois : n'attendez pas !

Moi-même, dès que je l'ai pu, notamment grâce à mes résultats, je me suis mis dans le coup avec un ami. On s'est promis d'être toujours là pour l'autre. Même pour l'argent.

À vous de trouver un partenaire de cette nature ! Les groupes d'investisseurs sont un bon moyen pour cela. Ils se multiplient un peu partout en France. Il vous sera facile d'en intégrer un. Et même plusieurs.

Pour avancer, à un moment ou à un autre, il n'y a pas de secret : il faut s'associer ou compter sur les bons soutiens.

Cet ami, qui n'est pas Crésus, mais un militaire, m'a permis d'acheter ma résidence principale quand je l'ai souhaité. Il m'a permis de faire un grand pas dans mon parcours, sans même savoir à quel point.

Un petit achat pour l'homme, une grande affaire pour l'investisseur

Début 2013, j'ai acheté ma résidence principale dans le IIe arrondissement de Marseille.

Un T2 de 36 m^2 que j'ai payé 72 000 euros.

---

2. Jean-Paul Sartre.

Grâce à un prêt de mon ami militaire, et à la culbute de 20 000 euros que je venais de réaliser en vendant au mois de janvier précédent l'un des deux garages évoqués au chapitre VII, j'ai pu faire un apport de 40 000 euros.

L'objectif, pour moi, à ce moment-là, était clair : me loger avec la plus petite mensualité de crédit possible. Pour une raison simple : avec un apport conséquent, un crédit minimal et une mensualité basse, je me rapprochais le plus vite possible de la liberté financière.

C'était bien raisonné, mais c'était encore la façon de penser de quelqu'un qui est allergique au crédit. Or, un investisseur, c'est quelqu'un qui sait se servir des crédits, pas quelqu'un qui fait tout pour les contourner.

J'ai donc commis une erreur, mais elle fut réparable. En effet, tant que l'on n'a pas abandonné, on n'a pas échoué.

En attendant, j'avais réussi à obtenir une mensualité de 207 euros sur quinze ans. C'était ce que je voulais.

Je me logeais donc pour 207 euros seulement dans un T2 du IIe arrondissement de Marseille. *Une sacrée performance !* J'étais content. Mais j'étais loin de me douter à quel point cet achat allait changer ma vie.

Dans l'immédiat, cet appartement m'a permis de m'exercer à effectuer quelques travaux. Commencer à apprendre sur le terrain, alors que je ne savais tout simplement pas planter un clou, allait m'être très utile pour la suite. En effet, avoir effectué les travaux soi-même permet de pouvoir identifier rapidement les problèmes lors de visites ou encore gérer au mieux les suivis de chantier lors de rénovations. Vous éviterez ainsi de vous faire « rouler ». Si vous savez y faire, que vous débutez et que votre situation financière est encore fragile, faites-les vous-même ! Surtout s'il s'agit de votre résidence principale pour laquelle vous ne pouvez pas déduire le montant des travaux de vos impôts. Mais je ne vous conseille pas de le faire sur le long terme – une opération ou deux, pas plus –, car toute cette énergie dépensée risque de vous ralentir dans vos investissements, voire même de vous épuiser ou de diminuer votre moral. En effet, pas facile de faire les travaux sur son temps libre alors que l'on est encore salarié. En plus, comme nous avons pu le voir, l'arme principale de l'investisseur est l'effet de levier. Faire effectuer les travaux par une société est un effet de levier puissant : vous utilisez le temps d'autrui et vous appropriez momentanément ses compétences.

À cela s'ajoute que vous préservez votre santé et évitez les risques inhérents au travail sur un chantier. *Quel serait l'intérêt d'être un rentier en mauvaise santé ?*

Le Temps : Notre bien le plus précieux

J'aimerais attirer encore un peu plus votre attention sur le temps.

Le temps est notre bien le plus précieux et pourtant c'est celui que nous gaspillons le plus. Il passe inexorablement. Impossible de le stocker. Contrairement à l'argent, qui voit sa valeur diminuer avec le temps qui passe, alors que la valeur du temps qui nous reste ne fait que croître. Chaque seconde qui passe est perdue et celles qui restent ne font que gagner de la valeur. Ils nous en restent de moins en moins, elles sont de plus en plus rares.

Ce fut très difficile pour moi de le comprendre, aveuglé par l'envie d'être rentier rapidement et l'incompréhension de l'effet de levier qu'est le salariat. Oui, en tant que salarié, nous passons notre temps à réaliser les rêves de quelqu'un d'autre. « Nous avons le temps ». Mais, malheureusement, nous l'employons souvent pour autrui. Le problème n'est pas l'heure supplémentaire que vous allez passer, par exemple, pour signer un bail avec un locataire. D'autant plus que cette tâche peut être déléguée. Le problème, ce sont les sept heures que vous avez passées dans la journée à travailler pour quelqu'un d'autre que vous-même.

Nous nous surprenons aussi régulièrement à nous plaindre « que nous n'avons pas le temps » alors qu'il est la seule richesse équitablement répartie entre les êtres humains. Oui, nous avons tous vingt-quatre heures par jour, quelle que soit notre condition sociale, notre niveau de revenu. Nous avons donc le temps et c'est à nous de l'employer correctement pour faire ce qui a réellement de la valeur pour nous. Ici, dans le cadre de l'investissement immobilier et de l'accès à l'indépendance financière, il s'agit d'employer le temps des autres. La problématique du temps s'évanouit ainsi et nous permet littéralement de nous décupler. Au moment même où j'écris ces lignes, deux personnes rénovent un des mes appartements, une autre fait un nettoyage. Mon exemple est à une échelle ridiculement faible si on le compare à certaines personnes qui utilisent le temps de dizaines de milliers d'autres.

J'aurais pu faire ce nettoyage ou rénover l'appartement moi-même, mais je n'aurais plus eu le temps que j'utilise pour vous écrire ces lignes.

Ce n'est donc pas le temps qui manque.

Souvent, il est dit que c'est l'argent qui manque. C'est sûrement vrai. Mais, dans le cadre de l'investissement immobilier, ce n'est pas indépassable. C'est une des rares manières d'investir où vous pouvez utiliser l'argent des autres (celui de la banque) pour acheter du temps et des compétences que vous n'avez pas. Notamment en employant des artisans, décorateurs d'intérieur, gestionnaires, chasseurs d'appartement, et autres, pour réaliser vos objectifs.

Pourquoi s'en priver ? Combien de personnes travaillent pour vous en ce moment-même ? Qu'est-ce que vous pourriez déléguer dès demain afin de vous décupler ?

....
....
....
....
....
....
....
....
....
....
....
....
....
....
....
....

Ce livre vous donne accès au « Groupe Facebook Secret Adieu Patron ».

Pour connaître la démarche à suivre pour intégrer ce groupe, je vous invite à consulter les pages 225, 226, 227 et 228 après la lecture du livre.

DEUXIÈME PARTIE

Rentier en 18 mois

Croissance exponentielle et Indépendance financière

XI

LA RÉVOLUTION DE LA LOCATION SAISONNIÈRE

Groupe Mastermind : Premier départ du monde du salariat

Après l'achat de ma résidence principale, mon patrimoine immobilier se composait de onze biens (neuf garages et deux appartements) et s'élevait à 295 000 euros. Les revenus fonciers générés étaient de 1 600 euros. Mon salaire avait légèrement progressé à 1 500 euros. Le total de mes revenus s'élevait à 3 100 euros.

Nous étions à la fin de l'année 2013. J'avais commencé à investir quatre ans auparavant. Mon plan se déroulait mieux que prévu puisque j'étais devenu propriétaire de ma résidence principale, et j'étais sur le point de me constituer un revenu de base de 1 600 euros mensuels rien qu'avec mes investissements immobiliers.

À ce moment-là, j'avais bien sûr envie de continuer à investir, mais j'étais de plus en plus attiré par le blogging. L'envie de m'y essayer ne cessait de grandir en moi. J'y voyais là un excellent moyen de continuer à vivre de ma passion pour l'immobilier. Mais, contrairement à l'immobilier, justement, je n'y connaissais rien et j'estimais que j'avais besoin de suivre une formation solide avant de pouvoir réaliser le grand saut.

Ce fut donc ainsi que j'ai rejoint, au début de l'année 2014, un groupe Mastermind qui regroupait aussi bien des investisseurs immobiliers que des blogueurs ou des chefs d'entreprise en devenir.

Afin de me consacrer à mon nouveau projet, j'avais décidé de quitter mon emploi – où ça n'allait plus. Mon calcul était simple : grâce à mon allocation de retour à l'emploi (ARE[1]), qui devait s'élever à 1 200 euros et des 1 240 euros net d'investissement immobilier, je bénéficierais donc d'une rente mensuelle de 2 440 euros.

De l'autre côté, j'avais 975 euros de mensualité pour mes onze biens immobiliers, dont 207 euros pour ma résidence principale. Plutôt pas mal quand on prend en compte que le budget moyen est plus proche des 600 euros à Marseille pour sa résidence principale.

Il me restait donc 1 465 euros pour mes dépenses courantes.

Avec mon mode de vie frugal, j'avais prévu qu'il me resterait au moins 1 000 euros après impôts, factures et dépenses chaque mois.

Cerise sur le gâteau : j'aurais droit à la durée de chômage maximale, soit deux ans.

J'avais donc deux ans pour réussir. Et j'étais bien décidé à le faire. Dans ma tête, mon objectif était même de vivre du blogging en peu de temps.

À cette étape-là de mon parcours, c'était une erreur.

Heureusement, je l'ai compris grâce à ce groupe Mastermind avant de m'avancer plus encore dans ce projet !

Les groupes Masterminds sont en pleine effervescence en France. Il y en a dans tous les domaines (l'immobilier est l'un des plus prisés) et pour tous les niveaux. Les montants des droits d'entrée sont flexibles.

---

1. Allocation de retour à l'emploi : Allocation versée à toute personne inscrite à Pôle emploi en tant que « demandeur d'emploi » et ayant suffisamment travaillé pour cela.

D'ailleurs, en rejoignant un groupe Mastermind, vous ne faites pas un achat, vous réalisez un investissement. Un investissement sur vous-même, un investissement pour vos projets. Vous en ressortirez plus riche – humainement et financièrement – et plus fort. *Prêt à casser la baraque !* Débarrassé des fausses croyances et indemne des erreurs que vous vous apprêtiez à commettre.

Ce fut mon cas.

Vouloir me lancer dans le blogging pour atteindre l'indépendance financière par ce moyen à ce moment précis aurait été une belle erreur dans mon cas. Penser que je pouvais vivre du blogging rapidement était aussi une fausse croyance. Hélas ! cette fausse croyance est bien répandue. Pourtant, il est facile de comprendre que c'en est une. Il suffit de regarder la réalité en face.

Pour vivre de son blog, il faut créer du contenu, publier un maximum d'articles de qualité, fidéliser ses lecteurs, se démarquer des autres blogueurs. Devenir un expert dans son domaine de compétence, apporter une valeur ajoutée à son audience me semblait être un mal nécessaire avant de se lancer. Vendre quelque chose sans avoir effectué moi-même le parcours ne m'intéressait pas.

À cela s'ajoute le besoin de devenir un expert du marketing pour se faire connaître. En effet, même bon, votre contenu ne servira jamais à personne s'il n'est pas mis en face des yeux de quelqu'un qui en a besoin. C'est ce qui explique que seuls 5 % des blogueurs réussissent à vivre de leur blog, sachant que seuls 1 % des blogueurs ramassent la mise.

À cela s'ajoute aussi qu'en matière d'immobilier un énorme boulevard s'ouvrait à moi.

En comparaison, pour vivre de l'immobilier, il suffit d'enchaîner quelques acquisitions, puis les mettre en location. C'est à la portée de tout le monde. Le seul fait d'être arrivé jusqu'à cette page prouve que vous êtes assez déterminé pour vous lancer à votre tour. Mais pour passer à l'étape suivante et devenir à votre tour rentier, il va falloir vous consacrer immédiatement et complètement à ce qui rapportera tout de suite et de manière durable !

J'ai rejoint ce groupe Mastermind après avoir arrêté de travailler pour me lancer dans le blogging et finalement les différentes rencontres m'ont convaincu de la chose suivante : je devais chercher un nouvel emploi pour pouvoir emprunter plus facilement et enchaîner les acquisitions immobilières. *Quel revirement de situation !*

J'ai donc immédiatement recherché un emploi et décroché un CDD qui allait se transformer en CDI dans les neuf mois. Je prévoyais neuf mois de sacrifices supplémentaires. *Je parle bien de sacrifices.* Il est difficile de reprendre un emploi quand on pensait arrêter définitivement et quand vos revenus d'investissement dépassent déjà ceux de votre travail. D'autant plus que les aléas de la vie d'investisseur en herbe allaient me faire patienter dix-huit mois au lieu de neuf.

J'allais comprendre dans ma chair qu'il faut parfois être prêt à vivre pendant dix-huit mois d'une manière que la majorité de la population n'acceptera jamais afin de pouvoir vivre le restant de sa vie comme la majorité de la population ne pourra jamais se le permettre.

Une personne en particulier m'y a aidé. Quand elle m'a informé que son appartement de $20\,m^2$ à Marseille lui rapportait 1 200 euros par mois.

Le choc !

Vous rendez-vous compte ? 1 200 euros par mois avec un appartement de $20\,m^2$. Et ce contre une mensualité de crédit de 300 euros par mois !

C'est à tomber par terre.

Si vous aviez été à ma place, vous auriez eu certainement envie de la copier tout de suite. Eh bien... pas moi.

Là encore, je vais réitérer mon erreur de vouloir n'en faire qu'à ma tête, de trop croire en moi, en ma « stratégie de la fourmi ».

Là aussi, donc, j'ai perdu du temps. Et le temps, c'est bien plus que de l'argent.

La Stratégie de la fourmi

Jusque-là, j'avais suivi « la Stratégie de la fourmi ». Cette stratégie était simple et sûre :

— Enchaîner les emplois pour obtenir le plus d'argent possible.

— Épargner au maximum l'argent des salaires.

— Acheter un garage avec l'argent économisé.

— Épargner au maximum l'argent du revenu créé.

— Réinvestir cet argent en achetant d'autres garages.

— Épargner encore et renflouer les caisses pour toujours acheter comptant afin d'obtenir des revenus supplémentaires qui viennent s'additionner, et ainsi me rapprocher le plus tôt possible de l'indépendance financière.

Cette stratégie était cohérente. J'aurais mis sept ou huit ans pour obtenir l'indépendance financière. Mais j'aurais fini par l'obtenir. Avec des revenus moyens certes, mais j'aurais été rentier tout de même.

Le récit de mon parcours jusqu'alors en témoigne. Sans compter sur le chômage, il m'aurait suffi d'acheter deux ou trois garages de plus pour pouvoir quitter définitivement le salariat. J'aurais été libre totalement, bénéficiant d'un revenu minimal pour vivre.

Libéré de mes craintes et de mes idées reçues sur le crédit, ma stratégie a pu bénéficier d'un véritable coup d'accélérateur avec les achats de l'appartement pour ma mère et de ma résidence principale.

Cependant, épargner sans cesse, enchaîner les boulots, devoir renflouer les caisses pour pouvoir acheter comptant de nouveau, et puis surtout attendre : c'était trop. Trop long, trop privatif. C'était un véritable travail de fourmi.

Ne commettez pas la même erreur que moi ! Même si vous avez plus ou moins dix-huit ans. Ne rêvez pas à la belle idée d'être libre à l'âge de trente ans ! Donnez-vous les moyens d'y arriver plus tôt encore !

La liberté financière : il faut l'acquérir le plus rapidement possible. Vous pouvez l'acquérir en quelques années.

Et il y a un bon moyen d'y parvenir très vite.

Comment je suis devenu rentier en dix-huit mois

Quand on intègre un groupe, on fait toujours des rencontres et des découvertes inattendues. On provoque des situations qui vont changer notre vie.

J'ai voulu rejoindre un groupe Mastermind pour me perfectionner dans le blogging. Résultat : j'ai laissé tomber le blogging et me suis perfectionné davantage dans l'immobilier.

Au lieu de continuer à évoluer tout doucement vers l'indépendance financière, je l'ai conquise en dix-huit mois seulement.

Dix-huit mois. Mes revenus immobiliers sont passés de 1 600 euros à 10 000 euros en un an et demi.

80 % des résultats ont été obtenus en 20 % du temps. J'allais pouvoir devenir rentier en dix-huit mois grâce à l'immobilier.

La Location de courte durée

La location de courte durée est entrée dans les habitudes d'investissement immobilier des Français. Vous allez comprendre pourquoi. Dans l'immobilier, c'est le meilleur moyen de gagner de l'argent rapidement. Et toute l'année. C'est la raison pour laquelle je préfère le terme de « location de courte durée » à celui de « location saisonnière ».

Bien sûr, dans ce type d'investissement aussi, il faut respecter certaines règles. Celui qui part aveuglé par la découverte fabuleuse de « la location de courte durée » a toutes les chances d'avoir une rentabilité des plus moyennes.

Les règles sont simples :

— Acquérir un appartement dans une zone où il y a un passage de voyageurs tout au long de l'année afin d'éviter les périodes creuses en hiver.

— Sélectionner un bien qui correspond aux attentes des clients de passage dans votre localité.

— Ne pas oublier les fondamentaux de l'immobilier : Acheter le bien en dessous du prix du marché et vérifier que l'appartement rapporte de l'argent même en location nue.

« C'est logique », me direz-vous. Mais tout le monde ne respecte pas ces règles. Loin de là. Certains se croient malins en se moquant du prix du bien. Ils se laissent aveuglés par le rendement de la location de courte durée et croient qu'ils pourront rembourser la mensualité de crédit très vite, « en quelques nuits ». C'est une réalité valable pour un investisseur qui ne voit que le court terme, mais pas pour celui qui souhaite vivre de ses rentes. Acheter trop cher entraîne une mensualité trop élevée et, si demain ces personnes doivent mettre leur appartement en location nue, bonjour les dégâts ! Le loyer ne couvrira pas la mensualité : ils perdront de l'argent chaque mois.

Conversion à la location de courte durée

La location de courte durée est le meilleur moyen de gagner de l'argent rapidement. Pourtant, il n'est pas si simple d'y venir.

Nombreuses sont les craintes, les peurs, les idées reçues.

Surtout quand c'est son propre logement que l'on a décidé de louer, afin de tester ce qui était assez nouveau à ce moment-là, puisque nous étions en avril 2014.

C'est ce qui m'est arrivé. La personne en question m'avait encouragé à m'essayer à la location de courte durée ainsi. Après deux mois de réflexion, d'hésitation – ce qui est énorme pour quelqu'un qui est déjà sensibilisé à l'investissement immobilier et à l'indépendance financière –, je m'y suis résolu enfin. Je ne souhaitais pas acheter directement un appartement pour le mettre en location de courte durée. J'ai donc décidé de faire un test avec ma résidence principale.

Une fois l'annonce mise en ligne sur le site *AirBnB*, je n'ai pas attendu trois jours avant de recevoir ma première demande.

Après acceptation, le jour J, mon premier client me fait une demande particulière :

« Est-ce que je peux arriver à minuit ?

— Bien sûr, Monsieur ! »

Le premier client est vraiment le roi. Nous sommes novice. Nous acceptons tout. Mais ce n'est pas une faute indigne. C'est même la tactique à employer pour commencer.

Pour démarrer sur *AirBnB* ou un autre site du genre, il n'y a pas de secret. Il faut engranger les commentaires positifs, irréprochables, les avis qui nous recommandent. Il faut donc se démarquer. Pour cela, par exemple, proposer des prix inférieurs de 30 % lors des premiers mois, accueillir chaleureusement et en personne les clients, offrir des petits cadeaux de bienvenue. Tout pour faire bonne impression. Tout pour redonner au client l'envie de revenir. Tout du moins laisser un commentaire expliquant que c'est chez nous qu'il faut louer et non chez les concurrents.

C'est ainsi que je n'ai pas proposé mon appartement à un tarif très élevé dans un premier temps. 160 euros payés par le client pour trois nuits. Il me restait 140 euros une fois la commission du site payée.

Dans ma tête, à ce moment-là, c'est une révolution qui se produit. Il est possible de gagner 140 euros en une heure trente de travail. Uniquement pour effectuer l'état des lieux à l'arrivée et au départ du client, ainsi qu'un ménage complémentaire. Vous rendez-vous compte de ce que cela veut dire ?

C'est beau, non ?

Mais ce n'est pas tout. Le meilleur ne se trouve pas là. Il me suffisait donc de louer six nuits par mois pour rembourser mon crédit mensuel.

Les premiers investisseurs en ont rêvé. La location de courte durée l'a fait.

Mon expérience fut bonne. J'ai eu des réservations et il n'y a pas eu de casse.

Les personnes qui louent sont comme vous et moi.

Oubliez donc les idées reçues ! Abandonnez vos peurs ! Lancez-vous !

Le calendrier de l'appartement se remplissant très rapidement, à ce rythme, je ne pouvais même plus dormir ne serait-ce qu'une seule nuit chez moi. Je me suis retrouvé expulsé. *Oui, encore !* Mais, cette fois, ce fut une expulsion bénéfique. Elle me rapportait 1 500 euros par mois.

À ce prix-là, des expulsions, je vous souhaite d'en vivre tous les jours.

VOS NOTES

....

....

....

....

....

....

....

....

....

....

....

....

....

....

....

....

....

XII

LE JOUR OÙ LA BANQUE M'A DIT NON

Tout devient facile quand on a commencé

La recherche de biens ne doit pas prendre une place trop lourde dans votre vie d'investisseur sous peine d'abandonner. S'il ne faut pas passer d'un extrême à l'autre et prendre ce principe comme une excuse pour ne rien faire, il ne faut pas non plus se laisser envahir par la panique quand on commence. Le terrain de recherche est infini et on peut vite se perdre. C'est la raison pour laquelle je tiens à insister sur ce point : des sites comme *Leboncoin.fr* ou *SeLoger.com* sont largement suffisants pour commencer. J'ai conseillé plus avant de regarder les annonces matin et soir dans un premier temps. Il y a une raison. Cela vous formera ! Au fur et à mesure, vous connaîtrez les prix que vous pouvez espérer pour une surface et un lieu donné. Vous serez ainsi en mesure de passer à l'étape suivante : configurer des alertes automatiques pour recevoir un mail dès qu'une occasion se présente. Eh oui ! configurer une alerte efficace – j'insiste sur l'efficacité – ne s'improvise pas. Si vous le faites sans connaître votre marché, ça ne sert à rien. Vous n'en tirerez rien de bon. Soit vous recevrez beaucoup d'alertes non adaptées ou aucune.

C'est là que tout change. À force d'enchaîner les achats et d'occuper le terrain, tout devient plus clair, tout devient plus simple. On connaît son marché. Acheter devient un jeu. Quand on a quitté le salariat et que l'on est financièrement indépendant, on ne voit plus l'immobilier de la même manière. On n'a plus l'obligation de devoir acheter le maximum de biens dans un laps de temps très court pour se constituer un revenu suffisant. On n'arrête pas d'acheter pour autant. On voit la vie d'une manière totalement différente. Une certaine routine s'installe. Une routine d'achats. Et on se met à faire de plus belles affaires encore. Que l'on apprécie d'autant plus que l'on est libéré d'une certaine pression causée par notre dépendance financière, notre dépendance au salariat.

L'avantage de s'être constitué un patrimoine

L'avantage de la pratique se démontre dans mon investissement de juillet 2014. Je n'ai pas eu besoin de le chercher. Il est venu à moi. Mais il fut difficile de l'attraper.

J'écris qu'il est « venu à moi » parce j'ai pris connaissance de la vente par une alerte que j'avais configurée et oubliée, car elle ne sonnait jamais. Vos alertes ne doivent sonner que pour vous avertir d'un bien qui correspond parfaitement à vos recherches.

Il s'agit d'un garage situé dans une résidence où j'en possédais déjà deux. J'étais donc aux premières loges. C'était un avantage. Je connaissais déjà les lieux : résidence, garages, loyers. Je savais donc déjà tout. Rien qu'en voyant l'annonce, je savais déjà, sans avoir à me déplacer, ce que j'allais pouvoir faire. Il devient possible de visiter et d'acheter sans se poser une seule question.

Cet avantage-là se gagne par la pratique. Seuls ceux qui ont commencé, qui se sont déjà constitués un patrimoine peuvent en bénéficier. Pour celui qui ne fait rien, l'immobilier reste une montagne trop haute et inconnue, quelque chose d'abstrait, de flou, de dangereux, qui fait peur.

Quand on a déjà pratiqué, toutes les peurs deviennent ridicules et tout s'éclaircit.

Les Yeux plus gros que le ventre ?

Il ne suffit pas pour autant de s'intéresser à un bien pour en devenir le propriétaire, ni d'être déjà propriétaire d'un bien dans la résidence en question pour conclure automatiquement la nouvelle affaire qui nous y intéresse.

J'en sais quelque chose. Quand j'ai repéré ce garage, je n'avais plus de CDI et je pensais que mon nouvel emploi en CDD suffisait. *Grave erreur !* La banque ne voulait plus me financer. Quelque chose bloquait alors que c'était un petit montant. En réalité, j'étais dans la mauvaise banque. Mais ça, je l'ai découvert plus tard. Heureusement que mon parcours ne s'est pas arrêté là ! Vous-même êtes peut-être actuellement dans une de ces banques que les investisseurs doivent fuir. Peut-être avez-vous été bloqué à cause du mauvais établissement bancaire en pensant que c'était de votre faute. Ou peut-être manquiez-vous encore, tout comme moi à l'époque, d'informations sur le monde bancaire.[1]

Comme il s'agissait d'un investissement intéressant, j'ai dû puiser ailleurs qu'à la banque.

J'ai appliqué une méthode à laquelle j'avais déjà eu recours. Il y avait deux garages à vendre. J'ai proposé à un ami d'acheter avec moi. Le deal était simple et connu : nous en prenions un chacun. Je n'avais donc plus que 8 500 euros à payer et les frais de notaire étaient réduits du fait de cette méthode. De plus, les deux box étaient vendus 17 000 euros alors qu'ils en valaient 21 000.

8 500 euros. Faible somme pour un crédit. Pas pour cette banque-là ! Elle ne voulait toujours pas m'accorder le crédit sans CDI.

J'ai donc dû ruser encore. J'ai proposé à mon ami non seulement d'acheter un garage, mais, en plus, de me financer mon achat. Si j'ai pu lui proposer ce marché, et s'il a été d'accord, c'est pour plusieurs raisons à ne pas négliger :

— J'avais acquis des compétences dans l'immobilier qu'il

---

1. Voir le chapitre XVI.

n'avait pas.

— Mon patrimoine répondait pour moi : je faisais donc autorité.

— Cela lui permettait d'accéder à l'affaire.

C'est mon parcours qui l'a convaincu qu'en achetant ce garage il réaliserait aussi un très bon investissement et que je le rembourserais.

Vous aussi, avec la pratique, en avançant dans votre parcours d'investisseur, vous allez pouvoir faire des affaires et des rencontres qui vont vous permettre de surmonter certaines étapes.

Si je n'avais pas eu mon parcours pour moi, si je n'avais jamais commencé, si je n'avais pas accepté l'idée de « m'associer », jamais je n'aurais acheté ce garage, et j'aurais manqué une belle affaire. Utilisez toutes les ressources à votre disposition ! Je n'avais pas de famille mais j'avais des amis. Vous avez des ressources insoupçonnées. *Sondez votre esprit afin de les débusquer !*

Tous les investisseurs ne se ressemblent pas

Au mois de juillet 2014, j'avais repris un boulot, la nuit du 14 juillet avait été louée plus de 150 euros dans certains appartements et j'étais déjà convaincu par la location de courte durée. J'aurais pu ne pas acheter ce garage. Mais je l'ai fait. C'est un plus qui donne une base stable à mon patrimoine. Désormais, je n'ai plus de « crédit » dessus puisque j'ai remboursé mon ami. Le bénéfice est donc encore plus important, et ce pour toujours, tout du moins jusqu'à ce que je décide de m'en séparer. À la revente, il me rapportera une jolie plus-value d'au moins 30 %.

C'est là que l'on voit aussi qu'il s'agissait vraiment d'un investissement très intéressant et que j'ai bien fait de ne pas me laisser aveugler par l'énormité des possibilités en location de courte durée. Il ne faut pas mettre tous ses œufs dans le même panier. Si vous choisissez la location de courte durée pour principal vecteur de votre accélération dans l'immobilier et que vous pouvez acheter un garage ou autre type de bien qui vaut le coût, étudiez bien l'affaire au lieu de la balayer d'un revers de main !

Pensez à toujours construire votre crédibilité auprès des banques et à soigner votre patrimoine ! C'est de cette façon-là qu'on avance, qu'on accélère.

Certains investisseurs ont un joli patrimoine, mais ne s'en servent pas. Ils le laissent même à l'abandon. C'était le cas du propriétaire qui vendait les deux garages en question. C'est avec l'agent immobilier que nous avons traité. Celui-ci prend toujours une commission. Comme on a acheté ces deux garages à 8 500 euros chacun, le propriétaire-vendeur n'a pas dû encaisser beaucoup. Pour nous, ce fut une très bonne opération.

Pourtant, ce n'était pas gagné. La banque ne voulait pas me financer. À l'arrivée, je me retrouve propriétaire d'un garage de plus acheté en dessous du prix du marché qui génère 90 euros de loyer chaque mois. Et ce sans crédit pour la banque.

Pour eux, tout était invisible. Ma situation était donc encore plus avantageuse. J'avais un bien en plus sans crédit supplémentaire. Comme quoi, j'ai bien eu raison de ne pas me laisser décourager quand la banque ne voulait pas me financer.

Il faut toujours croire en soi. Même une petite pierre ajoutée à l'édifice peut faire la différence.

....

....

....

....

....

....

....

....

....

....

....

....

....

....

....

....

....

XIII

DEUX APPARTEMENTS EN DIX JOURS

D'une résidence principale à l'autre

J'ai mis du temps à enclencher, mais j'ai bien fini par me lancer dans la location de courte durée. 1 500 euros par mois avec un appartement de 35 m^2 : il aurait vraiment été bête de passer à côté.

J'aurais été bête aussi de vouloir « me réapproprier » ma résidence principale. Je l'ai laissée à la location de courte durée. La solution était toute trouvée. Je suis retourné vivre chez ma mère, c'est-à-dire chez moi d'un point de vue immobilier, le temps d'enchaîner ces achats. C'est ainsi que j'ai récolté trois ans plus tard ce que j'avais semé en 2011 sans le savoir lorsque j'avais voulu l'aider.

Pour le notaire, pour l'État, pour les impôts, pour les banques – c'est important, les banques – : cet appartement, c'était le mien. En retournant vivre chez ma mère, je ne devenais pas un propriétaire différent des autres, je continuais à être un propriétaire comme un autre, occupant sa résidence principale, mais remboursant un crédit de 435 euros chaque mois. Une faible somme.

D'un investissement à l'autre

Le gros problème, dans mon parcours, encore une fois, c'est d'avoir trop tardé, d'avoir été trop souvent borné, trop confiant, trop certain de moi, de mes méthodes, de ma vision de l'investissement.

Heureusement, ce ralentissement ne pouvait pas m'être fatal.

Ce que je n'ai pas fait en cinq ans, je vais le faire en douze mois. En effet, de janvier à décembre 2015, je vais acheter quatre appartements, que je vais, bien sûr, destiner à la location de courte durée.

Je change mon fusil d'épaule ! Fini, la stratégie de la fourmi ! En 2015, j'appuie sur l'accélérateur. Je me consacre à la location de courte durée. Je gagne mon indépendance financière. Je dis adieu au salariat.

Rien d'exceptionnel

Débarrassé de mes *a priori* sur le crédit, convaincu par la location de courte durée, à la fin de l'année 2014, je suis un homme nouveau. Et, comme toute personne qui vit une renaissance, je vais donner une nouvelle dimension à mes investissements.

Au mois de janvier 2015, je vais acheter deux appartements en même temps. Preuve que c'est possible. Preuve que vous pouvez le faire aussi. Et ce avant même d'attendre cinq ans. Avant même, peut-être, d'avoir fini ce livre pour les plus téméraires.

Si je l'ai fait, si d'autres le font, vous pouvez le faire aussi. Vous pouvez même faire mieux. Le récit de mon parcours est là pour vous aider, pour que vous puissiez avoir des points de repère qui vous permettront d'avancer à grands pas.

Premier appartement du nouvel investisseur : 1 600 euros par mois pour 375 euros de mensualité

Inutile de parcourir le monde à la recherche d'un trésor caché sur une île pas encore découverte pour arpenter le chemin de la richesse. Le premier appartement que j'ai acheté dans le cadre de la location de courte durée se situe dans le Ier arrondissement de Marseille.

Il s'agit d'une très belle affaire, comme vous pouvez le constater :

Surface : 40 m^2

Prix d'achat : 69 000 euros

Valeur du bien : 90 00 euros

Mensualité du crédit : 375 euros

Chiffre d'affaires mensuel : 1 600 euros

C'est un appartement que j'ai trouvé sur *Leboncoin.fr* annoncé à 72 000 euros. Rien qu'au prix, pour un T2 de 40 m^2, et pour son emplacement, c'était une bonne affaire. Elle devient exceptionnelle par sa particularité. Il était noté sur l'annonce : « Pas de charges de copropriété ! ». Soit une économie de 800 euros par an.

Pour gagner 800 euros par an dans l'immobilier, il faut *a minima* investir dans un garage à 8 000 euros. Et pour que cet argent reste dans votre poche, il faut soit avoir acheté le bien comptant, soit avoir remboursé la totalité du crédit.

Comment était-il possible qu'il n'y ait pas de charges dans une résidence avec digicode, caméra, ascenseur et gardien qui nettoie le hall chaque jour ?!? Parce que c'est un opérateur de téléphonie mobile qui paye l'intégralité des charges – et même plus. La copropriété loue le toit de l'immeuble à l'opérateur qui a installé ses antennes-relais. J'ai rarement vu une copropriété aussi bien entretenue, et pour cause : les copropriétaires n'ont jamais à sortir d'argent pour l'entretien. Quand je reçois mon appel de fond, c'est avec une somme créditrice qui ne fait que croître.

Autre particularité de l'appartement : il n'y avait pas de travaux à réaliser ! C'est extrêmement intéressant. Surtout pour moi qui débutais dans l'achat d'appartements. En effet, effectuer des travaux, ça prend du temps et ça coûte de l'argent. Et quand on les fait soi-même, c'est très décourageant. Beaucoup de personnes arrêtent d'investir et ne croient plus en l'immobilier à cause de cela.

Je ne peux que vous recommander d'éviter les appartements à rénover, où il y a beaucoup de travaux à faire si vous débutez. Je pense qu'il vaut mieux que vous cherchiez des appartements qui rapportent tout de suite. Il ne sert à rien de se lancer dans des galères au début. Sauf si vous êtes certain d'avoir le bon artisan ou une personne de confiance pour gérer les travaux à votre place et la capacité de faire financer cela par la banque.

Comme je vous l'avais dit : on progresse à chaque investissement, et ce fut encore mon cas pour celui-ci. *Fini, la peur du crédit !* Cette fois-ci, j'ai bien utilisé l'effet de levier du crédit. J'ai contracté un crédit sur vingt ans. Et financé l'intégralité de l'opération avec. Ma mensualité est ainsi fixée à 375 euros. Les règles de l'immobilier sont respectées : si je dois louer le bien en location nue, c'est-à-dire à l'année, je pourrai le louer au moins à 550 euros. Et plus de 650 en location meublée longue durée.

Comme pour toutes les bonnes affaires que j'ai faites, j'ai très peu négocié le bien. Agir autrement revenait à prendre le risque qu'elle me passe sous le nez.

Le vendeur en voulait 72 000 euros. Dès la première visite, je lui ai indiqué mon intention de changer la porte, qui n'était pas blindée, et d'effectuer quelques travaux pour moderniser la cuisine. Je lui ai demandé s'il était d'accord pour baisser le prix de 3 000 euros, « afin de m'aider à supporter le coût des travaux ». Il a accepté tout de suite.

Résultat : je n'ai pas changé la porte, car ce n'était pas nécessaire, et mes travaux de modernisation se sont résumés à un coup de pinceau dans la cuisine. L'appartement était tout blanc. J'ai passé un petit coup de rouge pour le raviver un petit peu. Rien d'autre. Pas de quoi y mettre les 3 000 euros obtenus.

En ce qui concerne la vente, tout s'est très bien passé. Aucun problème à signaler de ce côté-là. J'ai signé le compromis en septembre 2014 et ai pu mettre l'appartement à la location en février 2015, soit cinq mois plus tard : un délai habituel.

Deuxième appartement du nouvel investisseur

Il y a trois règles d'or dans l'immobilier :

1. L'Emplacement

2. L'Emplacement

3. L'Emplacement

Avec cet autre appartement, je les ai respectées à la lettre.

Si un bien immobilier est par définition immobile, son environnement est muable. Il peut se dégrader ou s'améliorer.

Une autre grande différence entre un investisseur aguerri et le commun des acheteurs se trouve là aussi. L'investisseur sait qu'il peut anticiper quelles sont les transformations que va subir un quartier ou un arrondissement dans les années à venir. Rien n'est décidé en secret dans une cave de la ville.

Pour se renseigner, pour consulter les plans et les projets, il suffit d'aller dans les locaux de l'urbanisme de votre lieu d'investissement. C'est là-bas que l'on peut consulter librement et gratuitement tout ce qui concerne l'avenir de la ville et que l'on peut se faire une idée de ce qui va se passer dans le quartier où l'on a décidé d'acheter un bien immobilier.

J'ai eu plusieurs fois recours à cette méthode. Je l'ai découverte lors d'un stage à la *Direction Générale de l'Urbanisme et de l'Habitat de la ville de Marseille* que j'avais effectué lorsque j'étais étudiant et que je croyais encore en ma « stratégie de la fourmi ».

Je pense que sous-estimer cet acte peut coûter très cher et faire passer à côté de grandes affaires immobilières.

Ce deuxième appartement, acheté le 30 janvier 2015, est une excellente affaire pour cela. Situé dans le IIe arrondissement de Marseille, à cent mètres du métro Joliette pour les connaisseurs, il est au cœur d'un quartier qui subit de grandes transformations. Autrefois pauvre, il s'agit désormais d'un quartier touristique en plein développement où les voyageurs d'affaires ont toute leur place et se donnent rendez-vous.

Tourisme et voyages d'affaires : voici les ingrédients du succès garanti pour la location de courte durée !

C'est pour cette raison que j'ai investi dans ce quartier-là. Dans chaque grande ville, il existe des zones, des quartiers où il faut investir.

66 000 euros pour un 48 m² dans le quartier en question : c'est, encore une fois, une excellente affaire. Impossible de négocier, car il y avait d'autres personnes qui visitaient juste après moi. La concurrence était rude. Mais j'étais le premier visiteur ! C'est là qu'on s'aperçoit qu'il est indispensable d'appliquer la méthode de recherche « 10 minutes matin et soir » ou encore de configurer des alertes automatiques sur toutes les plates-formes d'annonces. Vous êtes ainsi informé immédiatement dès qu'un bien correspondant à vos critères apparaît. Il ne reste plus qu'à appeler immédiatement et faire en sorte d'être le premier à visiter.

Cependant, tout ne se passe pas forcément comme prévu. C'est là que l'on voit qu'il est nécessaire d'être prudent et d'avoir une méthode solide.

Quand j'achète un bien, je procède toujours à une contre-visite la veille de la signature de l'acte d'achat définitif pour m'assurer que l'appartement est toujours dans le même état qu'au moment de la signature du compromis. En effet, les appartements restent souvent vides pendant des mois dans l'attente de la vente définitive et des imprévus peuvent s'y produire.

Pour cet appartement-là, j'ai bien fait de ne pas brûler cette étape. Entre le moment de la visite et l'organisation de la succession en vue du compromis, il s'est écoulé trois mois, puis encore trois mois avant l'acte authentique. L'appartement avait donc été vide pendant plus de six mois. Et, avant qu'il ne devienne officiellement ma propriété, un gros dégât des eaux avait eu lieu. Une dizaine de mètres carrés de plafond étaient imbibés d'eau. Une partie du faux plafond tombée dans la cuvette des toilettes.

Si je n'avais pas effectué cette visite à ce moment-là, j'aurais été bien embêté, car j'aurais signé l'acte d'achat définitif et j'aurais eu de grandes difficultés à ne pas mettre la main à la poche pour financer les réparations. L'assureur de l'ancien propriétaire ne serait pas intervenu et le mien aurait pu poser des questions sur la date de survenance du dégât des eaux.

Dès que je me suis aperçu de dégât, j'ai téléphoné à l'agence pour le leur signaler, et nous avons trouvé un arrangement à l'amiable pour que la vente ne soit pas bloquée à cause de cet événement malencontreux.

J'ai fait venir un artisan pour chiffrer le coût des travaux sur un devis en bonne et due forme. Avec le propriétaire-vendeur, nous avons décidé que le montant indiqué me serait reversé après la signature et une fois les travaux effectués.

C'est ce qui s'est passé.

Autres travaux à effectuer avant la mise en location, mais relevant d'un choix tactique pour adapter l'appartement à la location de courte durée cette fois : la modification de la salle de bains et de la chambre. Là encore, nous voyons que les choix diffèrent selon qu'il s'agit d'un appartement destiné à de la location pour une résidence principale ou à la location de courte durée.

La salle de bains n'était accessible que par la chambre. Quand il s'agit de son lieu de vie, ce peut être une particularité très appréciée. En revanche, quand il s'agit d'un appartement qui a pour objectif d'accueillir entre quatre et six clients, c'est totalement différent.

Même si les voyageurs sont des amis de longue date, devoir passer par une chambre pour se rendre à la salle de bains peut les rebuter et entraîner de mauvais commentaires des clients.

J'ai donc décidé de modifier cette particularité, de créer un sas qui permet de passer de la chambre vers le couloir sans passer par la salle de bains : c'est un mètre carré perdu, mais une salle de bains indépendante gagnée. Je n'ai pas commis l'erreur de tenter de faire ce que je ne savais pas faire. J'ai engagé un artisan pour un travail propre. Le tout pour 2 000 euros. Rien que des avantages, donc.

Une fois tout cela réalisé, j'ai pu mettre l'appartement en location de courte durée. Il me rapportait 1 600 euros par mois pour un crédit mensuel de 353 euros. Je l'ai transformé en T3 depuis et il rapporte désormais 1 900 euros par mois.

Sa valeur est passée à 117 500 euros.

L'utilisation du *Home-Staging*

Quand j'ai commencé à investir dans des appartements, je n'avais pas assez d'argent de côté pour rénover un bien ou acheter une ruine et la retaper. J'ai donc choisi une stratégie difficile : trouver des appartements à des prix très bas et presque sans travaux. Je pense même qu'il aurait été inutile et contre-productif de faire effectuer des travaux importants dans ma situation de salarié à plein temps, et aussi compte tenu de mes objectifs.

Pour tous ces appartements, mis à part le dernier, je me suis contenté d'avoir recours à ce que l'on appelle du « home-staging », c'est-à-dire de donner à mes appartements un « coup de frais ».

L'avantage du *home-staging*, c'est que ça ne coûte pas cher. On dit qu'il ne faut pas y consacrer plus de 3 % du prix de l'appartement. Pour de la location de courte durée, vous pouvez aller jusqu'à 6 % afin d'obtenir un résultat plus probant.

Plusieurs raisons à cela :

— Il me fallait la plus petite mensualité de crédit possible afin d'obtenir un bénéfice net qui puisse me permettre d'atteindre l'indépendance financière rapidement.

— Dans le cadre de la location de courte durée, les revenus sont tellement importants que j'aurais épuisé le montant des travaux à déduire en une année seulement.

Je pense que, quand on commence avec très peu d'argent de côté, il ne faut pas se lancer dans des travaux d'Hercule. Beaucoup commettent cette erreur et se découragent rapidement. Si vous n'avez pas beaucoup d'argent de côté et des revenus faiblement imposés, cherchez à privilégier le bénéfice net à la défiscalisation, en trouvant des appartements à bon prix sans travaux. D'autant plus que la gestion des travaux et les aléas comportent des risques que vous n'êtes peut-être pas prêt à assumer.

En revanche, si vous payez déjà beaucoup d'impôts et que vous possédez une trésorerie importante, ou une capacité d'endettement suffisante, rénover des biens immobiliers peut se révéler intéressant.

Moi-même, aujourd'hui, en 2016, je vais devoir faire évoluer ma stratégie. En effet, je vais devoir investir dans des biens différents avec une autre destination que la location de courte durée et par le biais d'une société. Pour faire augmenter le bénéfice net et réinvestir, je vais devoir regarder l'avantage fiscal plus attentivement. Notamment par la recherche de biens en ruine avec travaux.

Trouver un bon artisan

J'ai effectué moi-même une grande partie du *home-staging* de mes appartements. Je n'estimais pas nécessaire de tout déléguer à un artisan. Particulièrement, les travaux de peinture et petites propretés. Pour autant, cela prend énormément de temps et peut être compliqué à mettre en œuvre en fonction de sa situation familiale. Encore plus quand on fait cela sur son « temps libre » ! Cette activité m'a souvent pris mes soirs et mes week-ends, en allant pourtant jusqu'à travailler jusqu'à minuit pour que le chantier avance. Car même faire du *home-staging* prend énormément de temps. Vous risquez donc d'être amené à rechercher des artisans qualifiés.

L'expérience m'a appris que les meilleurs sont ceux utilisés par les syndics, ou, tout du moins, que ce critère est un gage d'un certain rapport qualité-prix. Les syndics ont en effet besoin d'avoir une main d'œuvre qui répond rapidement à un prix contenu et qui fait un travail correct. C'est leur réputation qui est en jeu. Pour trouver un bon professionnel, demander à son syndic qui réalise ses travaux est sûrement la meilleure chose à faire pour trouver une réponse rapide et fiable quand on n'a pas de réseau dans le bâtiment. Pour la petite histoire, j'ai trouvé l'un de mes principaux artisans alors que j'étais encore locataire et étudiant. C'est le syndic de l'immeuble qui me l'avait envoyé à la demande du propriétaire pour réparer une fuite d'eau.

Au fur et à mesure des interventions dans les appartements, j'ai noué des relations privilégiées avec les artisans, et vous devez absolument en faire autant, car ce sont eux qui vous sortiront de l'impasse quand un chauffe-eau se mettra à fuir. Pour cela, année après année, j'ai tout simplement envoyé de nombreux clients à ces différents artisans.

Aidez un artisan à faire son chiffre d'affaires et il vous aidera à son tour quand vous serez dans l'urgence ! C'est comme cela que tous les imprévus qui se révèlent être très désagréables et compliqués pour la plupart des propriétaires-bailleurs sont pour moi – et seront pour vous –, en appliquant ce mode de fonctionnement, aussi simples à régler qu'un appel téléphonique. D'ailleurs, vous pouvez appliquer cette méthode dans presque tous les domaines : faire le lien entre les gens conduit à vous rendre indispensable.

Cependant, même si un artisan travaille bien, il faut savoir qu'il lui est très difficile de tenir les délais et de finir les travaux dans les temps.

Un artisan a le plus grand mal à refuser un chantier. Par conséquent, il sera toujours en retard. C'est donc à nous de prévoir quand les travaux devront être vraiment terminés afin d'arriver à estimer quand il nous « livrera » l'appartement en état de location.

En général, il faut prévoir 50 % de retard dans le délai annoncé.

Pour ma part, mes temps n'ont jamais été tenus, mais je le savais. C'est la règle du jeu. C'est comme ça. Aussi, très souvent, j'ai communiqué une autre date que celle à laquelle j'avais vraiment besoin de l'appartement. Évidemment, j'ai donné une date beaucoup plus courte que celle qui comptait pour moi. Surtout qu'il faut être bien conscient qu'il y a toujours des imprévus.

Ce dégât des eaux en fut un. Et de taille. Un mur ne sèche pas instantanément quand la fuite est endiguée ni à l'aide d'un sèche-cheveux. Ça se compte en semaines, voire en mois. Le retard accumulé peut donc être considérable.

Savoir prendre des risques

Ce que j'ai fait à fond en dix-huit mois, vous pouvez le faire tranquillement en cinq ans.

Ce qui est primordial, c'est de savoir ce que l'on veut.

Est-ce que vous voulez vivre intégralement de vos revenus immobiliers rapidement ou est-ce que c'est un projet à long terme ?

Pour ma part, je ne voulais plus aller au travail, subir le quotidien de tout salarié. Je voulais quitter ce monde-là rapidement, avoir une nouvelle forme de liberté et surtout le faire définitivement. Être certain que mes revenus me mettraient à l'abri du salariat pour le reste de ma vie. C'est la raison pour laquelle je me suis fait la promesse « d'acheter des appartements tant que la banque ne me dirait pas non ». Cette attitude m'a amené à signer des compromis de vente alors que banquiers et courtiers voulaient absolument que j'arrête. Mais j'ai signé pour des affaires qui n'auraient pas pu me mettre dans le rouge. Grâce à des revenus immobiliers variés, un risque amoindri du fait du nombre de locataires et du paiement garantie en location de courte durée.

Cependant, comme je le disais, c'est parce que j'ai voulu quitter le monde du salariat dans le laps de temps le plus court possible que je suis toujours passé sur le fil du rasoir.

VOS NOTES

....

....

....

....

....

....

....

....

....

....

....

....

....

....

....

....

XIV

AVANT-DERNIER INVESTISSEMENT

Construire sa crédibilité

Mes deux appartements achetés au mois de janvier 2015 n'ont eu que des conséquences bénéfiques pour moi. Ils m'ont permis de générer des revenus importants pour des mensualités de crédit très faibles et m'ont démontré qu'un appartement qui ne serait pas forcément intéressant pour une location normale peut se révéler être un super investissement pour la location de courte durée. Quand je dis intéressant : c'est avec une rentabilité supérieure à 10 %.

Le meilleur n'est pas là pour autant. Le véritable atout de ces deux appartements est d'avoir pu démontrer concrètement aux banquiers que j'avais raison. Cependant, j'étais bien conscient que mes capacités d'emprunt se réduisaient considérablement. Bientôt, le refus de me prêter serait catégorique et je ne pourrais pas aller contre. J'arrivais donc au bout de mes achats. Ou, tout du moins, je risquais d'être contraint de patienter un an ou deux pour en envisager d'autres.

Si la signature de mon nouveau CDI m'avait permis de débloquer la situation, celle-ci se tendait de plus en plus.

Les sommes générées par la location de courte durée étaient impressionnantes. Moi-même, pourtant désormais rodé, je ressentais un sentiment bizarre en les encaissant. Rien qu'avec mes deux derniers investissements, je gagnais le double de mon salaire. En comptant celui-ci, la somme était telle qu'il m'était forcément de plus en plus difficile de me motiver pour aller au travail chaque matin.

Beaucoup sont ceux qui commettent l'erreur de rompre un CDI quand ils jouissent d'une rente acceptable ou qu'ils ont réussi à reconstituer leur salaire par l'immobilier. J'en ai fait partie lorsque j'ai quitté pour la première fois le salariat au début de l'année 2014.

Au mois de mai 2015, je gagnais plus de 5 000 euros chaque mois rien qu'avec l'immobilier. Vous comprenez donc qu'il m'était vraiment difficile de programmer mon réveil pour aller ramasser 1 500 euros après trente-cinq heures de travail chaque semaine et alors que je gérais trois appartements en location de courte durée, un appartement en location classique et dix box de garage.

Cependant, je n'ai pas commis l'erreur que la plupart des gens font quand ils commencent à gagner de telles sommes. J'ai tiré sur la corde jusqu'au bout. Je me suis tenu à l'objectif fixé. J'ai gardé mon CDI tant qu'un organisme m'a prêté de l'argent pour acheter un appartement. J'ai ainsi été sérieux avec les banques. J'ai été crédible. Je leur ai montré que je n'avais pas la mentalité d'un joueur de loto qui claque tout quand il touche le pactole. J'ai été assidu. C'était dur. Mais j'ai travaillé jusqu'au bout. C'est l'attitude que doit adopter un véritable investisseur.

Il faut construire sa crédibilité par tous les moyens. Ils sont nombreux. Plus on avance, plus on en trouve. Et quand on réalise de bonnes affaires, on montre aux banques qu'elles ont eu raison de nous suivre, de nous faire confiance, de nous prêter de l'argent.

C'est ce qui s'est passé avec mes deux appartements de ce mois de janvier 2015. Je leur ai montré que c'est moi qui avais raison, qu'il était possible d'engendrer des sommes d'argent non négligeables avec quelques appartements bien utilisés, que j'avais raison de croire en mon projet, que j'avais raison de leur demander des crédits, et qu'elles ont eu raison, finalement, de me suivre, de me faire confiance.

Foncer encore et toujours

Le 30 avril 2015, j'ai signé la vente définitive pour un nouvel appartement. Qu'est-ce que cela veut dire ? Que j'ai signé le compromis à la fin du mois de janvier, quand j'achetais deux appartements en même temps et que ma banque me disait que, cette fois, ce serait vraiment terminé, qu'un prêt ne me serait plus accordé.

Quand on signe un compromis de vente, on a un délai à respecter pour trouver le financement. Il faut donc aller voir le banquier très vite. Les négociations avec lui peuvent être longues. Il ne faut donc pas tarder. Pas avoir peur d'aller le secouer.

Imaginez la tête qu'il a faite quand il a appris que je projetais d'acheter encore et que j'étais allé jusqu'à signer un compromis de vente.

Il n'y a que deux réactions possibles quand on agit comme je l'ai fait à ce moment-là de mon parcours :

— Soit nos partenaires nous prennent pour un fou à lier et on est décrédibilisé, au moins un certain temps, pour la suite de nos affaires avec eux.

— Soit ils nous comprennent et voient en nous un partenaire qu'il faudra privilégier.

Rien ne découle du hasard. Tout est lié. Tout est donc important. Aucun élément ne doit être oublié ou sous-estimé. Si, entre la fin du mois de janvier et la fin du mois d'avril, les travaux de propreté n'avaient pas été terminés, je n'aurais pas pu commencer à louer mes nouveaux biens. Ainsi je n'aurais pas pu démontrer à la banque que mes deux derniers investissements valaient le coût et elle ne m'aurait pas accordé le crédit. Résultat : je ne serais pas devenu propriétaire d'un appartement qui m'a permis de quitter le salariat.

Débusquer la bonne affaire

Ce troisième appartement de l'année 2015 démontre que j'ai passé un cap dans mon parcours.

Je l'ai trouvé sur Internet, encore sur *Leboncoin.fr*. Non, je ne travaille pas pour ce site, mais je tiens à le répéter : les bonnes affaires sont partout. Pas besoin d'avoir accès aux annonces OFF des agences immobilières. L'annonce ne comportait qu'une seule photographie. On pouvait y voir une fenêtre et vaguement l'extérieur.

Rien d'attirant. Rien de précis. Pourtant, rien qu'avec cette image, j'ai pu deviner à quel endroit et à quel étage se situait l'appartement.

Pour un débutant, il est peut-être difficile de me croire. Pourtant, je tiens à bien insister sur ce point-là : la possibilité de savoir où se trouve exactement l'appartement, dans quelle rue, dans quelle résidence, à quel étage (approximativement, en tout cas) ne relève pas du tout du tour de magie. C'est le secret de tout investisseur aguerri. Quand on connaît un quartier ou une ville par cœur, très souvent, le seul fait d'avoir une fenêtre avec un vis-à-vis sur la photo permet de localiser le bien. Vous aussi, un jour, à force d'investir, à force de persévérer, vous arriverez à faire de même.

Et c'est quelque chose qui sera tellement simple que vous ne vous en rendrez même pas compte. Mais ce pouvoir vous fera gagner un temps fou. Vous n'aurez plus besoin de vous déplacer pour savoir où se situe l'appartement et si effectuer une visite vaut le coup ou non. Vous saurez déjà de quel appartement il s'agit avant même que l'agent immobilier ne vous y amène.

Pour arriver à savoir de quel appartement il s'agit rien qu'en regardant une photographie, il n'y a pas de secret. Il faut connaître par cœur le quartier dans lequel vous voulez investir. Pour cela, arpenter les rues régulièrement est un plus à ne pas négliger. Personnellement, j'ai concentré mes investissements dans un périmètre assez restreint : ce qui me permet de connaître les lieux parfaitement. C'est un atout majeur. Aussi, je vous y encourage : *Devenez expert de votre localité !* C'est ce qui fera la différence entre vous et les autres investisseurs.

En général, il n'est pas possible de connaître à l'avance l'adresse d'un bien vendu par une agence. Cette information permettrait de rencontrer le propriétaire sans même passer par l'entreprise qui gère la vente et conclure directement l'affaire avec lui, privant ainsi le professionnel de sa commission. Vous comprenez qu'ils préfèrent cacher la pépite le plus longtemps possible.

Essayer de négocier avec le propriétaire-vendeur après avoir rencontré l'agent immobilier n'est pas une bonne idée non plus. Ce dernier pourrait se retourner contre vous, et votre super affaire risquerait de devenir votre pire cauchemar.

Les Bienfaits de l'expérience

Pour acquérir l'appartement en question, j'ai contacté l'agence immobilière qui avait mis l'annonce en ligne. L'agent ne voulait pas me permettre d'effectuer la visite immédiatement. Motif : l'appartement était trop sale. Il avait peur que je ne le trouve pas à mon goût et que je ne l'achète pas. Aussi, il souhaitait qu'un ménage soit fait avant les visites.

Là aussi, l'expérience m'a donné l'assurance nécessaire pour le faire changer d'avis. Je lui ai expliqué que j'étais un investisseur immobilier et que je saurais me projeter. Dans les faits, j'étais peut-être encore un investisseur amateur. Mais j'ai obtenu gain de cause. C'était le plus important pour moi, car je n'avais pas envie de me retrouver dans une visite commune où d'autres personnes pouvaient me piquer le bien. Et, grâce à l'assurance acquise par l'expérience, je venais de gagner le droit d'être le premier visiteur de l'appartement.

En arrivant sur les lieux, l'agent immobilier ne m'était pas inconnu. Il s'agissait d'un ancien élève avec lequel j'avais été au collège. Je lui ai dit que je le connaissais. Un grand sourire s'est dessiné sur son visage. Il s'est souvenu de moi. Mais, et c'est très important, je n'ai pas cherché à jouer à l'ami avec lui. Au contraire, je suis resté « professionnel ». Courtois, mais professionnel. J'étais là en tant qu'investisseur. Le bien m'intéressait vraiment. Je ne voulais pas rater la vente à cause d'un comportement qu'il n'aurait peut-être pas apprécié.

J'ai indiqué mes revenus à l'agent immobilier. Je lui ai dit que je projetais d'atteindre les 100 000 euros l'année suivante et expliqué en détails les investissements que je venais de réaliser dans les rues avoisinantes. Cet argument l'a convaincu et nous avons signé le compromis. J'ai peut-être été très optimiste dans mes prévisions à ce moment-là, mais il faut bien savoir qu'il n'est pas possible à l'agent de le vérifier. Et puis, de toute façon, les 100 000 euros ont été atteints. Vous pouvez donc lui dire ce que vous voulez, si vous estimez que c'est à votre avantage, et si ça vous permet de ne pas rater un compromis. Il serait dommage de s'en priver.

Un très bel appartement

Dès que j'ai pris connaissance du bien en question, j'ai voulu l'acquérir au plus vite.

L'appartement était très bien situé et son prix de vente était en dessous du prix du marché.

Il s'agit d'un T2 de 44 m^2, situé dans une résidence de standing, possédant trois grandes baies vitrées et une terrasse de 10 m^2, et jouissant du chauffage au sol.

Je l'ai acquis pour 70 000 euros alors qu'il en valait 90 000 avant travaux.

L'appartement était sale. Il fallait refaire les peintures, changer la cuisine et le meuble-vasque de la salle de bains. Je n'ai donc pas eu à effectuer beaucoup de travaux. Toujours du *home-staging*. J'ai installé moi-même une cuisine semi-équipée et repeint les carreaux pour enlever la couleur hideuse qui était dessus. Un énorme placard encastré mangeait 3 m^2 du salon : je l'ai pris à coup de masse et j'ai libéré exactement la place manquante pour rajouter un deuxième canapé dans la pièce. Petite astuce me permettant d'augmenter la capacité de couchage de l'appartement, ce qui, en matière de location de courte durée, fait la différence. En effet, les couples avec trois enfants ou les groupes trouvent difficilement un logement pour six personnes à prix abordable pour les vacances. Cette astuce me démarque des petits studios ou T2 avec deux couchages pour quatre personnes seulement. De plus, quand vous passez d'une pièce de 16 m^2 avec un placard de 3 m^2 à une pièce de 19 m^2, l'espace semble tout de suite beaucoup plus grand, car l'œil ne s'arrête plus aux portes du placard.

Ensuite, j'ai fait installer une climatisation réversible dans le salon et la chambre afin d'assurer le confort de mes voyageurs. Ces travaux ne m'ont pas coûté cher. J'avais trouvé un arrangement avec un poseur de climatiseurs : *« Dès qu'on me contacte, j'oriente vers toi, et, le jour où j'ai besoin, tu me fais un prix canon. »* Résultat : j'ai acheté les deux climatiseurs moi-même et ils ont été posés pour 200 euros. Pour démarrer, toutes les astuces sont bonnes afin de faire des économies.

Pour finir, j'ai passé un grand coup de peinture blanche dans tout l'appartement.

Le tour était joué. Je me suis permis de rappeler l'agent immobilier pour lui montrer le résultat. Il s'est assis sur le canapé et m'a dit qu'il pouvait me le revendre pour 110 000 euros dans cet état. *Affirmation sincère ou discours commercial ?* J'avais tout de même une sorte d'estimation de la nouvelle valeur de l'appartement.

En attendant, les chiffres à retenir sont ceux-ci :

— La mensualité du crédit est de 385 euros.

— Le revenu perçu chaque mois en moyenne est de 1 750 euros.

VOS NOTES

....

....

....

....

....

....

....

....

....

....

....

....

....

....

....

....

XV

L'EXCEPTIONNELLE POULE AUX ŒUFS D'OR CONTINUERA-T-ELLE À PONDRE POUR VOUS ?

Une annonce étrange

Après avoir acquis ces trois appartements achetés en quatre mois seulement, soit entre le mois de janvier et le mois d'avril de l'année 2015, je souhaitais de nouveau investir, histoire d'enfoncer le clou et être certain de pouvoir quitter le salariat définitivement. Pour ce faire, j'ai pris rendez-vous avec mon banquier. Ce dernier m'a répondu qu'il pouvait me suivre jusqu'à 150 000 euros. Il m'a donné un accord de principe, malgré le dernier achat et ce qu'il m'avait affirmé alors : qu'il ne pourrait plus me suivre si je ne faisais pas une pause d'au moins un an.

Cette parole m'a encouragé et j'ai repris mes recherches sur *Leboncoin.fr*. Celles-ci m'ont mené à un T3 de 55 m^2 affiché à 85 000 euros. L'annonce était inhabituelle, bizarre même.

Le texte était rédigé tout en majuscules avec une faute d'orthographe presque à chaque ligne. Aucune photographie n'illustrait l'annonce.

C'est le genre d'annonces que personne ne regarde, car elles ne sont pas conçues correctement et ne semblent pas sérieuses. Pourtant, ce sont souvent celles-ci qui cachent les meilleures affaires. Pour une raison simple : à cause de leur bizarrerie, tout le monde les fuit. Le vendeur a alors du mal à vendre son bien et se retrouve obligé de baisser son prix rien que pour essayer de déclencher ne serait-ce qu'une visite.

En voyant cette annonce, donc, je me suis souvenu que c'était de cette façon-là que j'avais trouvé mon premier appartement en location, qui s'était révélé être un appartement agréable à vivre, très bien situé, le tout pour un loyer très bas. Aussi, je n'ai pas hésité à joindre l'annonceur. Je me suis dit que peut-être l'histoire se répéterait... cette fois-ci pour acheter.

Le propriétaire-vendeur a décroché dès mon premier appel et a commencé par me faire une confidence bizarre : « Voilà, cet appartement, je le vends 85 000 euros, mais le premier qui m'en donne 80 000, je le lui laisse sans problème. »

Rien qu'en joignant le vendeur par téléphone, j'avais déjà gagné 5 000 euros. Oui, je sais : c'est complètement dingue ! Le vendeur devait être plus aux abois que ce que je croyais. Je vous avoue que je n'ai jamais compris la raison de ce rabais instantané et sans aucune demande de ma part.

Il me fallait maintenant concrétiser en voyant l'appartement et en signant le compromis le plus rapidement possible.

Toujours au téléphone, j'ai cherché à pouvoir faire la visite immédiatement en expliquant que j'habitais à trois cents mètres de l'appartement et que j'étais prêt à le visiter maintenant. Le vendeur semblait pressé, prétexta qu'il devait partir au travail, qu'il n'avait pas le temps. J'ai insisté. Je lui ai promis que je serais là dans les cinq minutes qui venaient et il a accepté.

Une fois sur les lieux, j'y suis resté une heure à discuter. *Étrange pour quelqu'un qui devait aller au travail cinq minutes avant !* Toujours est-il que j'ai alors découvert un bien « parfait ». L'appartement était traversant. Le sol nickel, les murs de bonne qualité. Trois fenêtres plein sud : donc un appartement éclairé toute la journée. Une fenêtre au nord et une fenêtre à l'est : là où le soleil se lève. La réfection de la cage d'escalier votée et déjà payée par la copropriété allait être finie avant la mise en location du bien.

Le seul défaut était sa décoration. Un papier peint baignant dans son jus. Autrement dit : pour 80 000 euros, je pouvais acquérir un bien au potentiel gigantesque. Il me suffisait simplement d'avoir recours au *home-staging* et l'affaire serait jouée.

80 000 euros pour un T3 de 55 m^2 dans le IIe arrondissement de Marseille, dans une rue de premier choix au cœur de ce quartier en pleine expansion : c'était vraiment une aubaine. Et je me devais de ne pas passer à côté.

Pour l'acquérir, j'ai parlé avec le propriétaire-vendeur « d'habitant du quartier à habitant du quartier ». Je lui ai confié que je connaissais très bien la rue, que j'avais un ami qui habitait juste en face de son appartement, que moi-même j'y passais souvent. Ce qui était véridique. C'est ainsi qu'un lien de confiance s'est noué.

Il m'a confié qu'il y avait une autre personne sur le coup, depuis longtemps, mais qu'elle tergiversait. Je lui ai assuré qu'il pouvait arrêter toute négociation avec elle, que j'étais certain de moi, qu'il pouvait l'être aussi, et que je lui achetais son appartement à son prix, soit à 80 000 euros.

La Parole d'un banquier

Je savais que la banque me financerait jusqu'à 150 000 euros. L'appartement ne me coûtant que 80 000 euros, j'envisageais même d'inclure le financement des travaux et des frais de notaire dans mon prêt.

Nous étions au mois de juillet 2015. Mon patrimoine n'avait jamais été aussi important. Mes trois derniers appartements tournaient très bien. Je n'avais même plus besoin de mon emploi pour vivre, mais je tenais à garder mon CDI avant de terminer cet achat. Tout était parfait. Trop peut-être.

Quand j'ai téléphoné à mon banquier, la catastrophe est arrivée. J'ai connu un revers comme je n'en avais jamais subi auparavant.

« Ce ne sera pas possible. Le taux d'endettement va dépasser les 39 %. C'est très délicat. »

Coup de massue ! J'avais quand même obtenu un accord de principe. Ce n'est pas rien. C'est un élément important qui ne s'annule pas comme ça.

« Si vous voulez, je peux essayer de faire passer votre dossier à la direction régionale. »

Bien sûr que je le voulais ! Je ne m'attendais pas du tout à cette volte-face. Je pensais même que tout se passerait très simplement. Comme sur des roulettes. J'étais trop confiant. Ce ne fut pas du tout le cas. Même la direction régionale de la banque n'a pas voulu me suivre sur ce projet.

Je ne comprenais pas comment on pouvait m'annoncer un endettement de 39 % ! La réponse était simple : dans la banque que j'avais choisie, les revenus de la location de courte durée sont amputés de 50 % pour calculer votre endettement. Effectivement, à ce compte-là, il est difficile de gagner !

À ce moment-là, j'avais vraiment le moral au plus bas. J'étais au pied du mur, comme jamais encore je ne l'avais été depuis que j'avais commencé à investir dans l'immobilier. Je ne savais plus du tout comment faire. Mais ça m'a servi de leçon. Il y a un point qu'il faut bien retenir : tant qu'un banquier n'a pas édité l'offre de crédit, sa parole ne compte pas. Il ne faut pas le croire. Il faut rester sur ses gardes, surveiller ses arrières, chercher une solution en cas de désistement de sa part. Il faut tout envisager pour ne pas être le dernier surpris et pouvoir retomber sur ses pattes en cas de trahison de la banque.

Je n'ai pas eu cette prudence. C'est ce qui m'a fait défaut à ce moment-là. J'ai été trop naïf. Je connaissais bien mon banquier, je lui ai fait confiance. Erreur qui aurait pu m'être fatale. Encore une fois : il ne faut jamais faire totalement confiance à la parole de son banquier. Dans ce monde, rien n'est joué tant que les offres de crédit ne sont pas éditées.

Je reconnais cependant que ce qu'ils m'ont fait là est exceptionnel : donner un accord de principe pour ensuite se rétracter. Les personnes auxquelles j'en ai parlé, familières du monde du crédit ou du courtage, étaient elles-mêmes étonnées. Elles m'ont confié que ce comportement, de la part d'une banque, arrivait très rarement et qu'il s'agissait d'un très mauvais coup, surtout envers un investisseur.

Cependant, ce mauvais coup a bien eu lieu, et un investisseur, justement, doit s'attendre à subir ce genre de déconvenues. Nous ne sommes à l'abri de rien. Il faut se préparer à l'avance aux réactions possibles de sa banque. C'est de cette manière-là qu'un investisseur réussit. Il n'y en a pas d'autres. Rien ne doit être laissé au hasard. Nous devons connaître sur le bout des doigts le système que nous voulons utiliser.

Il y a toujours une solution

Ceux qui ne réussissent pas sont ceux qui ne croient pas assez en eux et n'organisent pas les choses méthodiquement. Ceux qui réussissent sont ceux qui arrivent à dépasser les terribles revirements que l'investissement immobilier nous inflige parfois.

Malgré mon désarroi, j'ai cherché la solution jusqu'à la trouver. J'ai démarché d'autres banques en vain. Elles m'ont répondu qu'elles ne me connaissaient pas assez, que j'avais trop de biens en location de courte durée, que c'était plus une faille qu'un atout. Que les achats s'étaient enchaînés trop rapidement, que je manquais de recul.

J'ai contacté des organismes de crédits personnels, comme *Sofinco* ou *Cetelem*. Eux aussi ont refusé de me financer. Disposant de 70 000 euros sur mon compte à ce moment-là suite à un été exceptionnel, j'étais prêt, pourtant, à mettre 40 000 euros de ma poche.

Tous ces refus m'ont désespéré. Cet appartement était une

affaire en or. La rater aurait remis en cause la suite de mon parcours de rentier en devenir. Il ne faut donc sous-estimer aucun investissement et surtout l'impact qu'il peut avoir sur nous. Car il en aura toujours un. Conclure une belle affaire peut nous motiver ou nous remotiver comme jamais. En rater une, en revanche, peut être désastreux.

La solution ? Je l'ai trouvée auprès de ma première banque, en voyant une publicité qui fêtait ses cent cinquante ans d'existence. Celle-ci annonçait que les taux des prêts personnels seraient exceptionnellement rabaissés à 3 %.

Étonnamment, ce ne fut pas compliqué. Là aussi, j'ai dégainé mon téléphone et je leur ai expliqué que j'avais besoin de 40 000 euros. Je ne leur ai pas dit pourquoi. *Évidemment !* Sinon, ils auraient refusé. En revanche, je leur ai expliqué que j'allais mettre en place un plan de rénovation de tous mes appartements. Ceci pour élever le standing et pour en tirer des loyers beaucoup plus élevés. Je leur ai donc dit que, même si j'avais déjà l'argent suffisant sur mon compte courant, je ne voulais pas m'en servir, car je voulais le garder pour la suite. Ils ont trouvé ce projet plutôt cohérent et ont accepté de me financer. Pour deux raisons, m'ont-ils précisé :

— Parce que cela faisait longtemps que j'étais client chez eux avec un historique assez parfait. (Je prends soin de mon historique bancaire comme de la prunelle de mes yeux. C'est, en effet, ma meilleure carte de visite.)

— Et surtout parce que j'avais déjà la somme sur mon compte.

Un prêt personnel de 40 000 euros ne se fait pas comme ça. Il n'y a pas grand monde qui peut l'obtenir. Celui que j'ai obtenu ne s'est fait que sur ma tête. Il n'a pas été adossé à un appartement ou quoi que ce soit.

Mon passé d'investisseur, ma bonne conduite, ont été un atout majeur dans l'obtention de ce prêt, qui révèle que tout devient plus facile au fur et à mesure que l'on avance dans l'investissement et qu'il est donc ridicule d'avoir peur de se lancer ou de penser que les problèmes viennent avec l'enchaînement des affaires. La réalité prouve que c'est le contraire qui se produit.

Ma première banque a été très sérieuse. Je suis entré un mardi pour signer la demande de prêt. J'ai reçu l'argent sur mon compte – 40 000 euros – le mardi suivant, soit seulement sept jours plus tard. *Parfait !*

Une affaire en or

Le travail sérieux de ma première banque m'a permis d'obtenir l'appartement finalement plus tôt que prévu et de pouvoir m'y consacrer donc aussi plus tôt que prévu. *Une avance dans le calendrier à ne pas négliger !*

Mais toutes ces tergiversations bancaires m'ont fait comprendre une chose : il y aurait eu sûrement un temps pendant lequel les banques auraient refusé de me prêter à nouveau si je n'avais pas augmenté mes revenus de manière conséquente.

Persuadé que je pouvais tirer au moins 2 000 euros par mois de cet appartement, je me suis finalement dit qu'il allait suivre le même chemin que les autres : location de courte durée.

Pour revenir au bien en lui-même : cet appartement, je l'ai payé 80 000 euros, grâce à un apport de 40 000 euros et un crédit personnel à 3 % de 40 000 euros sur sept ans. Cet apport est le résultat direct de ma stratégie d'achat regroupé et de mise en location de courte durée. J'ai pu le faire uniquement grâce aux revenus très importants que la location de courte durée a dégagé.

Et il en est de même pour les travaux. J'y ai mis 13 000 euros de ma poche et changé mon approche. Au lieu de faire le plus d'économie possible sur les travaux, j'ai investi pour élever le standing et donc élever son rendement. Cela marche particulièrement dans la location de courte durée. Beaucoup moins en location nue.

Dans cet appartement, il n'y a pas un millimètre carré qui n'a pas été rénové.

Une fois remis à neuf, avec les frais de notaire, c'est un appartement qui m'a donc coûté environ 100 000 euros.

S'il avait été commercialisé comme il se doit, avec une annonce correcte et quelques photos bien prises, son prix ne serait pas descendu sous les 110 000 euros.

En l'achetant à 80 000 euros au lieu de 110 000 euros, j'ai donc réalisé, au moment de la signature, une plus-value latente de 30 000 euros.

Avec les travaux que j'ai réalisés, en comparant les annonces de la rue et du quartier, et en en parlant à quelques amis, je sais qu'ils pourraient se vendre facilement 135 000 euros.

Si je devais le revendre dans quelques années, je pourrais le céder à 150 000 euros puisqu'une folie immobilière s'empare actuellement de ce quartier de la Joliette qui devient prisé des investisseurs de la France entière.

Comme les frais de notaire s'élevaient à 7 000 euros, en vendant immédiatement, j'aurais encaissé plus de 35 000 euros de plus-value avant imposition.

Pour le moment, je ne compte pas le mettre en vente pour une raison bien simple : les revenus très élevés qu'il me procure, des chiffres hors norme, difficiles à imaginer et à croire pour toute personne n'ayant pas obtenu des revenus de la location de courte durée.

À tel point même que cet appartement fut un tournant pour moi dans la location de courte durée.

Tout d'abord, il faut que je précise que ce fut mon premier T3 et que c'est lui qui m'a permis de me rendre compte à quel point les montants générés par ce type d'appartements sont beaucoup plus importants.

Concrètement : du 25 avril 2016 au 7 septembre 2016, soit en moins de quatre mois et demi, cet appartement m'a rapporté 13 136 euros, soit plus de 2 919 euros par mois.

C'est tout simplement choquant. L'équivalent d'un salaire de cadre supérieur.

La puissance phénoménale des T3 n'est donc plus à démontrer. C'est désormais la voie à suivre pour tout investisseur qui veut se lancer dans la location de courte durée.

Si cet appartement me permet d'engranger des sommes aussi exceptionnelles, c'est aussi parce que j'ai su me servir de l'avantage d'un T3 en mettant un lit-double dans chaque chambre et deux canapés-lits dans le salon. Ainsi j'obtiens huit couchages.

C'est un avantage à ne pas négliger. Un jour, un groupe de quatre amis m'a clairement expliqué qu'ils avaient réservé cet appartement même s'il était plus cher parce qu'ils avaient chacun leur lit.

Je connais des investisseurs qui ont des T3, mais avec un seul canapé convertible, voire même un canapé simple dans le salon. C'est un gâchis sans nom.

2 919 euros par mois. C'est phénoménal. C'est exceptionnel. *Je le reconnais.* Maintenant que j'exploite ce T3, je constate qu'il peut rapporter, en vitesse de croisière, entre 2 200 et 2 300 euros, ce qui est plutôt pas mal, et surtout presque deux fois plus que mes T2 actuels, alors que je n'ai mis que 100 000 euros pour l'acquérir et le rénover.

Comme à l'année il me rapporte pas moins de 26 000 euros, son rendement sera de 26 %.

Cela me permet de déléguer sa gestion entièrement et sans

que le rendement en soit trop impacté. Le principal inconvénient de la location de courte durée saute : la lourdeur de la gestion, *turnover* des locataires, draps, petites réparations, etc.

Avec cet appartement, ce calcul se tient. Avec les autres appartements, plus petits, cette délégation est beaucoup plus difficile, voire impossible, à réaliser, surtout en période hivernale où les appartements se louent moins. Pour ma part, j'ai pu déléguer ces tâches pour la modique somme de 150 euros par appartement, mais après avoir longuement cherché des personnes qui travaillent bien et avec des tarifs attractifs. Si vous êtes amené à faire cela avec une société spécialisée, les frais peuvent vite s'envoler et rendre l'opération moins intéressante. Tout du moins, cela ne correspondrait plus à l'objectif de devenir rentier à proprement parler.

Ce qu'il faut bien comprendre aussi, c'est que je gagne presque deux fois plus avec ce T3 sans doubler le montant de la nuitée par rapport à mes autres appartements qui ne sont pas des T3, du fait notamment des économies d'échelle. Vous pouvez donc faire l'équivalent d'un chiffre d'affaires de six studios avec trois T3. Deux fois moins de travail pour une rentabilité égale ou supérieure. Cela doit être pris en compte, car, dans certaines villes, le nombre de logements par foyer fiscal est limité.[1] Il est évidemment plus intéressant d'avoir cinq T3 que cinq studios.

L'Adaptabilité : La Stratégie de demain

Les règles de la location de courte durée changent en permanence. Aujourd'hui, tout le monde ouvre son appartement à la location de courte durée. Tout le monde ouvre son « *Airbnb* ». L'offre devient très importante. Le marché est en train de changer. Investir dans la « location saisonnière » pour

---

1. À Marseille, le nombre de logements par foyer fiscal est limité à cinq.

devenir indépendant financièrement rapidement va devenir plus difficile.

Tout le monde ouvre des studios, des T1, voire des T2. Il commence à y avoir une concurrence qui n'existait pas quand je me suis lancé. De plus, j'avais un avantage sur les autres. Quand il y avait des studios et des T1, je proposais déjà des T2, ce qui me permettait d'être un pionnier et de bénéficier d'un gros avantage sur les autres.

Aujourd'hui, beaucoup de T2 arrivent sur les plates-formes de location de courte durée : donc mon avantage commence à être plus faible.

Le T3 surperforme et reste beaucoup plus intéressant. Tout le monde ne peut pas acheter un T3.

De plus, beaucoup de novices, attirés par la vague *Airbnb*, acquièrent des studios et des T1 pour se lancer, parce qu'ils ont peur, parce qu'ils ne sont pas sûrs du résultat, parce qu'ils veulent commencer doucement, ce qui se comprend. Par conséquent, le T3 reste aujourd'hui avantagé dans l'investissement de courte durée, et celui-ci va subsister encore étant donné qu'il existe plus de studios, de T1 et de T2 sur le marché immobilier.

Pareil pour les T4 et plus. Ceux-ci représentent une part faible du marché immobilier. C'est donc une niche intéressante à exploiter pour avoir des revenus stables dans le futur alors que ceux des T2, T1 et studios vont forcément décliner.

Aussi, réfléchissez bien si vous souhaitez acheter de petites surfaces ! Je le vois notamment chez moi, à Marseille, où nous étions pourtant en retard au niveau de la location de courte durée et où celle-ci s'est développée très vite sous l'impulsion de l'année de la capitale européenne de la culture en 2013 dans un premier temps, puis de la Coupe d'Europe de football en 2016.

Désormais, en terme d'offres, toutes proportions gardées, nous sommes à peu près l'équivalent de Paris. C'est donc le moment où le marché va commencer à être saturé et où il va falloir se démarquer.

Mon T3 a été une véritable claque. J'ai compris beaucoup de choses grâce à lui. Il m'a permis de repenser ma stratégie « saisonnière », d'en élaborer une nouvelle, celle de demain. Celle que tout investisseur dans la location de courte durée doit adopter s'il ne veut pas mourir du jour au lendemain, car le marché finira par se retourner et, quand il le fera, ce sera d'un coup, sans prévenir, et ce sera cruel pour beaucoup.

Cette nouvelle stratégie est celle de l'adaptabilité. Aujourd'hui, je veux créer des appartements qui soient adaptables. Mon T3, par exemple, est un prototype parfait d'un appartement adaptable. C'est-à-dire que je peux le louer aussi bien en saisonnier qu'en colocation.

Par exemple, je peux le louer à deux étudiants pour une colocation à 1 000 euros par mois. Ainsi, pour 500 euros, l'étudiant a sa belle chambre, climatisée, dans un appartement superbe.

Pour moi, ce sont 1 000 euros de loyer par mois.

La colocation est donc une possibilité à ne pas négliger. L'adaptabilité, elle, est bien la voie à prendre. Je dirais même : « des appartements adaptables pour pouvoir les moduler en fonction des modes ».

Aujourd'hui, la mode est celle d'*Airbnb, Booking* et de la location de courte durée. La prochaine sera certainement celle de la colocation.

Ce qu'il faut : c'est devancer les modes. Pour cela, il faut des appartements tout-terrain. Demain, la location de courte durée ne marche plus ? *Pas de problème !* Je mets mon appartement en location moyenne durée pour des gens qui veulent rester tout l'hiver, puis je le libère en été pour la location saisonnière ou je le mets à disposition pour de la colocation sur une longue durée, mais je ne me retrouve pas avec un appartement qui est spécialement conçu pour la courte durée, qui fait 20 m^2 et qui ne sera pas louable, ou à des prix tellement bas qu'ils ne permettront pas au propriétaire de rembourser son crédit.

Il ne faut pas se laisser enferrer là-dedans. Il ne faut pas devenir prisonnier d'un marché, comme celui de la location de courte durée. Encore une fois, quand ce marché-là se retournera, ce sera d'un coup, et cela va arriver plus vite que prévu, la Coupe d'Europe ayant donné des idées à beaucoup. Alors que j'écris ces lignes, des gens sont en train de signer des compromis pour mettre leur appartement en fonction dès l'été prochain, le plan étant de profiter de l'hiver pour les rénover.

C'est comme si l'on construisait dix, quinze ou vingt hôtels dans la ville. On ne s'en rend pas compte parce que ça ne fait pas de bruit, parce qu'il n'y a pas de grues partout : c'est une révolution silencieuse. C'est d'autant plus pernicieux et dangereux parce qu'on n'a pas forcément les éléments pour la voir venir, donc les appartements apparaissent d'un coup et c'est quand il est trop tard que l'on se rend compte du phénomène parce que votre appartement ne se loue plus ou qu'il faut baisser les prix trop fortement pour que l'investissement continue d'être viable.

C'est la raison pour laquelle ma nouvelle stratégie est celle de l'adaptabilité pour les T3, la transformation – quand c'est possible – de mes T2 en T3 et la mise en location étudiante de mes T2 pendant l'hiver puis de les remettre en location de courte durée l'été. Je veux également me concentrer sur l'achat de garages, car, un garage, c'est quand même un investissement à 12 % sans rien faire. Voire même plus encore puisque que je suis actuellement sur une opération à seize lots ayant un rendement de plus de 18 % !

Mon T3, situé dans le quartier d'Euroméditerranée-Joliette,

est une véritable poule aux œufs d'or. *Une poule aux œufs d'or exceptionnelle même !* Pourtant, je n'ai pas eu envie d'attendre la baisse des rendements pour expérimenter ma nouvelle stratégie.

Sur le site d'*Airbnb*, un fonctionnaire du ministère des affaires étrangères britanniques m'a contacté (ainsi que deux étudiants de *Kedge Business School*) pour me proposer de louer mon T3 à 1 250 euros par mois pendant cinq mois à partir du 1er octobre 2016 .

J'ai accepté la proposition du Britannique. Cela me permettra d'avoir un rendement de 15 % sans rien faire en période hivernale, c'est-à-dire au moment où la location saisonnière rapporte le moins. Ensuite, au mois de mars, quand les beaux jours reviendront, je pourrai remettre mon appartement en location de courte durée, bénéficier de son rythme de croisière, puis jouir de ses pics exceptionnels l'été.

En procédant ainsi, je m'adapte aux modes, et je vous invite à le faire aussi, avant tout le monde, afin d'anticiper la probable baisse des rendements en basse saison.

Principes de *home-staging*

En ce qui concerne la décoration, l'objectif est que mes appartements puissent plaire à tout le monde. Je ne veux pas forcément qu'il y ait des coups de cœur phénoménaux de la part de seulement 10 % de la clientèle parce que la décoration choisie est très spéciale. Non, ce que je veux, c'est que la plupart des gens puissent s'y projeter.

Pour ce faire, ce qui est très important, c'est d'utiliser des couleurs qui soient les plus claires possibles de manière à ce que cela accroisse la luminosité. Il faut essayer aussi de garder une certaine harmonie dans les meubles qui sont choisis, ne pas surcharger la pièce, mettre des tableaux à la mode.

Tous les meubles que j'achète sont, pour la plupart, des

premiers prix. Il en est autrement des meubles qui vont être mis à rude épreuve ou qui permettent le couchage, comme un lit ou les canapés, par exemple. Cela dit, dans le dernier appartement que j'ai acquis, le canapé est un premier prix qui ne m'a coûté que 200 euros, mais, si je l'ai choisi, c'est parce qu'il avait une certaine solidité et, aussi bizarre que cela puisse paraître, un confort proche d'un véritable lit. Le prix n'est donc pas forcément un gage de qualité.

Le principe, c'est que tout ce qui peut être usé, qui risque d'être cassé de part l'usage normal doit être vraiment solide, et, là, on peut, en effet, mettre un prix plus élevé.

En revanche, pour une table basse, par exemple, il faut choisir le premier prix : c'est celle à 15 euros qu'il faut acheter et non celle qui coûte 100 euros. Pour une raison simple : un jour ou l'autre, quelqu'un posera un verre trop fort et elle sera fendue. S'il faut la remplacer, à 15 euros, il n'y a aucun problème : on la jette et on la remplace. En revanche, si elle avait coûté 100 euros, ce serait une jolie somme gâchée.

Cette règle ne doit être négligée par personne. Elle doit être appliquée par tous les investisseurs. Il ne faut pas mettre un budget très important dans le mobilier de ses appartements, surtout s'ils sont destinés à la location de courte durée ou à la location meublée. Quoi qu'il arrive, à un moment ou à un autre, ça va être cassé. Il faut bien avoir cela à l'esprit.

Pareil pour les couleurs. Inutile de faire des folies, de jouer aux apprentis Picasso. Comme je l'ai écrit : il ne faut pas surcharger les pièces, mais plutôt faire en sorte que tout le monde s'y plaise.

Dans mes appartements, seules trois ou quatre couleurs dominent. Le gris, le beige et le blanc. Celles qui sont à la mode en ce moment. Ce genre de décoration est même quasi intemporel.

Pour le sol, dans mon dernier appartement, comme j'ai tout

refait, il est unifié. C'est-à-dire que c'est le même dans tout l'appartement. Cette unité visuelle au niveau du parquet est très importante. Ça ne se remarque pas forcément au premier coup d'œil, mais ça donne l'impression d'un bloc et c'est ce qui change beaucoup de choses au niveau de la qualité perçue par les clients. Et c'est la qualité perçue, justement, qui compte et non la véritable qualité des matériaux et meubles. Il faut bien avoir à l'esprit que notre clientèle n'est pas spécialiste en meubles suédois.

Ce qu'il faut : c'est essayer de minimiser les coûts au possible tout en essayant de faire en sorte que l'appartement se rapproche d'un produit neuf, comme si une grande société de construction venait de le livrer.

L'électricité, elle, doit être encastrée. Il faut vraiment donner une impression de neuf. D'autant plus qu'un appartement doit être acheté dans l'optique de faire une plus-value latente dès l'achat et une grosse plus-value à la revente. Sinon, ce n'est pas intéressant, à mon sens. Vous devez gagner sur tous les tableaux : achat, exploitation et revente.

Les Trois Critères de l'appartement à rechercher

Tous ces concepts (emplacement, adaptabilité, *home-staging*) ne vaudraient rien dans un appartement mal choisi. Pour trouver l'appartement dans lequel il faut investir, trois critères doivent vous guider.

1/ L'Emplacement : En fonction de sa destination.

— Location nue : « Quartiers populaires » pour des rendements élevés avec des risques d'impayés. « Quartiers classe moyenne » pour des rendements moyens avec des risques d'impayés faibles. « Quartiers huppés » pour des rendements faibles mais avec très peu d'impayés.

— Location pour étudiants : proximité des gares/transports, facultés/écoles et des lieux festifs.

— Familles : T3/T4 en quartier résidentiel, calme, avec de bonnes écoles et de nombreux services de proximité.

— Colocation : en centre-ville, proche des transports, bassin d'emploi.

— Meublés de tourisme : proche des gares (trains, cars), lieux touristiques et dans un quartier sûr.

Repérez ces lieux dans votre ville afin de faire votre propre carte des lieux où investir !

2/ L'Exposition/Ensoleillement : Sûrement le critère le plus important après l'emplacement, très négligé lorsque l'on débute. Privilégiez l'exposition Sud et Ouest ! Une double exposition Est et Ouest est aussi très appréciée pour avoir le soleil toute la journée. Fuir l'exposition Nord ou contre rabais de 20 %. (*Mais attention !* La diminution du prix n'achètera jamais le soleil. Vous ne pourrez rien y faire : ces logements seront toujours plus sombres).

3/ L'Étage : Du deuxième au quatrième étage si l'immeuble ne dispose pas d'ascenseur. (Vous pouvez aller jusqu'au quatrième étage en location de courte durée.) Le plus haut possible si l'immeuble dispose d'un ascenseur.

Vous êtes désormais en possession des critères essentiels pour évaluer rapidement et simplement un appartement.

....

....

....

....

....

....

....

....

....

....

....

....

....

....

....

....

XVI

L'UNIVERS DE LA BANQUE

Le Financement immobilier : Le Bon Conseiller dans la bonne banque

Il m'a fallu, pour pouvoir continuer à avancer, me frotter au monde bancaire et comprendre son fonctionnement. C'est une compétence que tout investisseur doit acquérir.

La banque a pour raison d'être de gagner de l'argent grâce, entre autres, aux crédits bancaires qu'elle accorde et aux mouvements sur vos comptes. *Il faut bien avoir cela en tête !* Vous ne demandez pas un crédit : vous lui permettez de faire du bénéfice. La banque, par le biais de son bras armé qu'est le « conseiller », a donc tout intérêt à vous financer. Du moins en théorie. Car, entre les marges qui sont moins grandes du fait des taux bas, la volonté de ne pas prendre trop de risques, les établissements et les conseillers qui coupent le robinet du crédit quand les objectifs de l'année sont atteints, j'ai eu – et vous aurez – des stratégies à mettre en place afin de vous faire financer. Mais rassurez-vous : certaines banques et certains conseillers font encore leur boulot correctement ! Ce qu'il faut, c'est comprendre les enjeux sans les dramatiser.

Il est vrai qu'un banquier voit passer beaucoup de rêveurs dans son bureau, des personnes qui ont très mal préparé leur dossier, des projets parfois farfelus et que cela peut être usant. D'autant plus que toute une partie de leur travail est tout simplement ennuyeuse, puisqu'il s'agit de rassembler des papiers et des données.

Faites de cela un atout ! Vous présenter devant le banquier avec un projet bien construit, un dossier bien préparé permettra de vous démarquer automatiquement des autres clients. Le conseiller est une personne comme vous et moi. Le seul pouvoir qu'il a en plus est de faire en sorte de présenter votre projet afin que le financement soit accordé ou pas. Il n'a pas le pouvoir de la décision finale – les règles de financement sont encadrées par l'établissement –, mais il est important de comprendre qu'il est le premier filtre à passer et qu'il peut décider de dire non avant que votre dossier n'arrive dans une quelconque commission ou sur le bureau de son chef.

L'accord ou non de votre prêt dépendra de :

1/ La perception que le conseiller aura de vous, de votre situation et de votre projet.

2/ La bonne volonté et des compétences personnelles du conseiller à instruire le dossier et à le présenter de manière avantageuse.

3/ Les chiffres de votre situation et de votre projet au regard des règles utilisées par l'établissement bancaire.

Plus votre situation financière est classique et avantageuse (CDI, revenus moyens, peu de dettes), moins il sera nécessaire de faire d'efforts de présentation, de relationnel et de tomber sur un conseiller compétent.

Plus votre situation est délicate (CDD, investisseur déjà endetté, entrepreneur), plus le rôle et la qualité de l'interlocuteur, ainsi que votre manière de présenter les choses, seront importantes.

Le Côté pratique de la préparation

Un financement se prépare trois mois avant de signer un compromis !

Il s'agit d'impressionner le banquier ou *a minima* de

« rentrer dans les clous ». Pour cela, il faut connaître le système bancaire. Sachez que votre situation sera étudiée sur les relevés bancaires des trois derniers mois et à l'appui de vos deux dernières fiches d'imposition. Il va donc falloir particulièrement soigner ces documents. De nombreux paramètres entrent en jeu. Je vais vous livrer les plus importants. Inutile d'être noyé sous les informations, gardez en tête l'essentiel !

Pour commencer, il vous faut donc faire le ménage sur vos comptes au moins trois mois avant de voir le banquier :

Règle n° 1 : Pas de crédits à la consommation, aucun découvert

Si c'est le cas, il va falloir les rembourser avant de passer à la case investissement. Soit vous vous astreignez à une discipline budgétaire, soit vous empruntez l'argent à un proche. Je vous conseille évidemment de prendre les mesures budgétaires adéquates.

61 % des Français sont à découvert au moins une fois dans l'année. Si c'est votre cas, faites en sorte que cela n'arrive pas durant votre phase de recherche de financement !

Règle n° 2 : Avoir un train de vie adapté à ses revenus

Pendant ces trois mois, diminuez votre train de vie afin de montrer que vous avez une capacité d'épargne et que vous ne vivez pas au-dessus de vos moyens ! Vos rentrées d'argent sont, en général, fixes, et il n'est pas possible de les changer immédiatement. En revanche, c'est vous qui avez la main sur vos dépenses.

Je ne peux pas être plus direct. Pour mettre le banquier dans votre poche, il faut que vous lui montriez que vous n'êtes pas dépensier. Il n'y a qu'une seule façon de faire pour cela : réduire vos dépenses pendant les trois mois précédents votre rendez-vous à la banque, c'est-à-dire vous « serrer la ceinture » jusqu'à ce que vous rencontriez le banquier. Malheureusement, c'est un passage obligé. Quand vos revenus s'envoleront, vous pourrez vous permettre de ne plus faire attention aux dépenses.

Règles n° 3 : Épargner

Mettez en place un virement automatique de 10 % de vos revenus vers un compte épargne ! Vous vous constituez un fond de sécurité, tout en rassurant votre banque.

Règles n° 4 : Soigner votre avis d'imposition

Le montant de vos revenus sur votre avis d'imposition doit être le plus élevé possible. Si certains de vos revenus ne sont pas déclarés, il va falloir y remédier. Outre la loi qui doit être respectée, il s'agit de permettre à la banque de vérifier que vos revenus sont pérennes, que vous êtes à l'abri d'un contrôle fiscal et que vous êtes honnête.

Vous pouvez aussi aller jusqu'à prendre un emploi d'appoint pour accélérer le démarrage, comme je l'ai fait, surtout si vos revenus sont inférieurs à 1 400 euros net.

Règles n° 5 : Connaître votre capacité d'emprunt.

Vous avez sûrement déjà entendu parler de la règle des 33 % d'endettement. Elle signifie que les charges d'un foyer par rapport à ses revenus ne doivent pas *dépasser* 33 %.

Les charges étant en général le loyer ou la mensualité du prêt payé pour votre résidence principale ainsi que vos mensualités de crédit (immobilier/consommation), caution personnelle que vous avez éventuellement donnée et pensions alimentaires que vous versez.

Les revenus représentent le salaire, les autres types de ressources et les revenus qui vont être générés par l'opération que vous présentez à la banque. Sachez que la banque va pondérer vos revenus immobiliers à 70 % (si vous gagnez 100 euros, elle n'en comptera que 70) ! À moins que vous ayez souscrit une assurance loyer impayé : dans ce cas, elle pourra aller jusqu'à compter intégralement vos revenus fonciers.

La dernière notion à connaître est celle du reste-à-vivre. Celui-ci correspond à ce qu'il vous reste comme revenu disponible une fois vos charges payées. Si votre taux d'endettement dépasse les 33 % mais que vous avez un reste-à-vivre élevé, le banquier sera plus enclin à vous financer.

Il est assez difficile d'aborder ce sujet, car votre capacité d'emprunt dépend autant de votre situation personnelle que des règles et méthodes de calculs des enseignes bancaires. Et, bien sûr, afin de ne pas nous faciliter la tâche, chaque succursale va avoir une politique différente en fonction de la personnalité du dirigeant.

Sincèrement, devoir tenir compte de toutes ces règles qui varient en fonction des établissements et qui souvent ne sont pas adaptées au profil d'un investisseur est quelque chose d'usant. Rien que d'y penser, ça me fatigue. Je pense que j'ai perdu la plus grande partie de mon énergie à combattre les règles bancaires. Et sachez une chose : vous ne gagnerez pas contre ces règles !

J'en suis arrivé à la conclusion que seules trois banques sont réellement adaptées au profil de l'investisseur. C'est un peu sommaire de réduire le paysage bancaire français à trois enseignes, surtout que la situation financière de chacun est unique, mais si ces trois banques ne sont pas en mesure de vous financer, il sera assez difficile pour les autres de faire quelque chose.

Mais avant de rencontrer votre banquier, ils vous faudra faire aussi une synthèse de votre situation et de votre projet par le biais de certains documents.[1]

De plus, je ne peux que vous conseiller de prendre rendez-

---

1. Voir le document que j'utilise personnellement aux pages 237, 238 et 239.

vous avec plusieurs banques, voire même plusieurs courtiers – si vous n'êtes pas engagé contractuellement –, en même temps dès le début de votre recherche. J'ai moi-même subi plusieurs revers bancaires et cela m'aurait énormément ralenti si les investissements ne s'étaient pas bouclés. Je connais malheureusement des investisseurs qui, suite à un refus bancaire, ont perdu une affaire et des années d'avancement vers la liberté financière.

Trouver le bon banquier au sein du bon établissement pour continuer l'aventure

Pour les dossiers « atypiques », voire « difficiles », il va falloir trouver le bon banquier au sein du bon établissement : ces deux paramètres doivent être au vert si vous voulez avancer ! Un banquier volontaire dans une banque avec des règles de financement trop strictes ne pourra jamais rien pour vous. Oubliez les banques dans lesquelles les agences ne décident de rien ! Demandez à votre banquier jusqu'à combien l'agence décide pour accorder ou non le financement ! Essayez de faire en sorte de choisir une banque où le décisionnaire se trouve physiquement dans la succursale !

En terme d'établissements, je ne vais pas y aller par quatre chemins. J'ai quasiment été dans toutes les banques françaises, en tout cas les plus connues, et j'ai, par le biais de tous mes amis investisseurs ou courtiers, eu un retour sur les différents établissements existants.

Pour un investisseur qui souhaite se développer par le biais du crédit immobilier, trois banques se détachent en France : le *Crédit Foncier*, le *Crédit Mutuel* et le *CIC*. Pour deux bonnes raisons :

— Elles utilisent une méthode de calcul dite « différentielle » pour calculer votre endettement.

— Les délégations des agences sont très importantes.

Ces banques ont souvent un taux d'intérêts plus élevé que les autres banques, mais elles vous suivront plus longtemps. De plus, si vous achetez à un bon prix, ce ne sont pas ces quelques 0,2 ou 0,3 % en plus que j'ai pu constater au niveau de leurs taux qui vont changer grand-chose, souvent moins de 10 euros sur votre mensualité.

Cela ne veut pas dire que les autres banques sont mauvaises, simplement qu'elles ont choisi des règles en matière de prêt immobilier qui vont rapidement vous empêcher de développer votre patrimoine. Les premiers investissements seront faisables et vous serez ensuite bloqué.

Un établissement bancaire à votre mesure : c'est bien. Avec le conseiller qui va avec : c'est mieux.

Une banque avec des règles souples mais un conseiller réfractaire à votre projet, votre personnalité, qui traîne des pieds, jaloux, ou tout simplement à quelques mois de son départ de l'agence, peut tuer votre projet dans l'œuf. J'ai personnellement constaté la différence entre deux conseillers alors que ma situation était identique : un toujours volontaire qui répondait qu'il allait trouver une solution et l'autre avec lequel c'était toujours « non », « je sais pas », etc. Ce comportement affecte votre capacité d'action au point même de vous faire croire que votre dossier ou projet ne sont pas assez bon alors que c'est le conseiller qui ne fait pas son travail correctement.

Si vous estimez que le travail n'est pas fait assez rapidement, demandez au responsable d'agence de changer de conseiller, voire même changez d'agence ! Quand une relation client est nouvelle, les cartes sont redistribuées. Vous repartez sur un nouvel élan. Le banquier veut vous séduire : il fera de son mieux pour y arriver.

Mais, comme partout, certains sont meilleurs que d'autres. *Cherchez-les !*

Ne vous découragez jamais face au renoncement d'un banquier ! J'ai moi-même failli renoncer plusieurs fois et, à force de chercher, le bon interlocuteur a fini par arriver.

VOS NOTES

....

....

....

....

....

....

....

....

....

....

....

....

....

....

....

....

....

XVII

LA BOUCLE EST BOUCLÉE

Être rentier et être définitivement rentier

Au mois de septembre 2016, plus des trois quarts de mes revenus étaient issus de mes appartements en location de courte durée. C'était trop. Il était donc nécessaire de changer cela et de restructurer mon patrimoine afin de me permettre de repartir de plus belle d'ici peu.

Pour cela, j'ai donc décidé de ne garder que quatre appartements en location de courte durée et vendu l'appartement que j'avais acheté il y a quelques années au prix de 72 000 euros. Je l'ai vendu 90 000 euros. À cette somme, il a fallu enlever environ 6 000 euros d'impôt sur la plus-value. J'ai donc récupéré 84 000 euros puisque j'ai fait le choix de ne pas rembourser l'emprunt qui restait (soit 26 000 euros). Je parle de choix, car la garantie était donnée par le *Crédit Logement* et que celui-ci ne récupère pas directement l'argent après une vente. Elle vous est restituée par votre notaire et c'est à vous de décider ce que vous en faites. Ce n'est pas forcément quelque chose à faire puisque cela signifie que votre mensualité de crédit doit continuer d'être remboursée alors que le bien n'est plus votre propriété. Vous avez l'argent mais plus le bien. Mais j'avais un plan pour ne pas rester dans cette situation et poursuivre mon chemin. Suite à ces achats en série et à cette vente, je me retrouvais donc à la tête d'un patrimoine d'environ 700 000 euros, de 100 000 euros de liquidité et d'un revenu mensuel moyen de 8 500 euros puisque je venais de vendre un appartement. Avec comme contre-partie une dette de 320 000 euros pour une mensualité d'environ 2 600 euros. Je

217

vais maintenant diversifier mon patrimoine avec des colocations et des garages afin de récupérer les « 1500 euros perdus » suite à la vente du dernier appartement.

Néanmoins avant de faire cela, avec la baisse des taux qui s'était amorcée depuis quelques années, et du fait de certaines erreurs que j'ai pu commettre, notamment celle de faire financer mes premiers investissements sur une durée de quinze ans, j'ai entrevu une occasion de restructurer mes dettes afin de « boucler la boucle », comme j'aime à le dire.

Par « boucler la boucle », j'entends : faire de moi un rentier en bonne et due forme. C'est-à-dire avoir des revenus suffisants pour ne plus jamais être contraint de travailler et ce jusqu'à la fin de ma vie. Pour cela, il fallait que mes investissements soient totalement passifs tout en étant rentables, quel que soit l'état du marché immobilier et en utilisant la méthode de location la moins rentable qui soit : la location nue ou meublée et déléguée à une agence.

Évidemment, je continuerai à exploiter mes biens en location de courte durée tant que ce sera rentable puisque j'ai délégué le travail de terrain. *Pourquoi se priver de revenus aussi importants ?* Mais qui sait ? Un jour, l'heure de la retraite anticipée aura peut-être sonnée !

Restructuration de la dette : Tout investisseur doit passer par là pour avancer

J'ai donc pour cela mis en place un plan, qui, je dois l'avouer, relève du tour de magie sur certains points. Et, pourtant, il a été réalisé sans trucage, triche ou dissimulation. Il s'agissait de faire renégocier et racheter les crédits des appartements de tous mes biens immobiliers.

« Facile », pensez-vous ? En effet, la première étape est plutôt simple.

Renégocier les trois crédits à 375, 353 et 385 euros, car ils sont récents, et que le rachat n'est pas assez intéressant. Il a suffi de prendre un rendez-vous dans ma banque actuelle et demander une renégociation du fait de la baisse des taux. J'ai obtenu un passage de 2,60 à 1,99 %. Pour me conserver, la banque a dit oui instantanément.

En revanche, la deuxième partie du plan relève, d'après mon courtier, et des nombreuses personnes que j'ai pu interroger à ce sujet, de « l'exploit ». *C'était impossible.* Et c'est vrai. Pour la plupart des banques, vous n'êtes pas intéressant si vous n'avez pas de CDI, même avec ce patrimoine ! À la simple vue de ce qu'il fallait faire, toutes les banques ont refusé. (Sauf une !) Trop de travail pour le conseiller, pas assez rentable.

Il fallait faire les choses suivantes en une seule fois :

— Racheter le crédit de l'appartement actuellement occupé par ma mère : la mensualité étant de 435 euros.

— Racheter le crédit de l'investissement de quatre garages pour une mensualité de 238 euros.

— Transformer le crédit consommation avec une mensualité de 570 euros (crédit à la consommation que j'avais dû contracter pour mon dernier investissement) en crédit immobilier.

— Effectuer un tour de magie : racheter le crédit d'un bien qui est déjà vendu ! Dans l'optique de me libérer du crédit logement et d'avoir une mensualité plus faible, tout en m'extirpant de cette situation qui aurait bloqué les prochains investissements.

— Et convaincre la banque que j'allais allonger la durée de remboursement, en passant à vingt ans, afin de diminuer les mensualités au maximum, tout en faisant en sorte que le montant des intérêts à payer soit identique à celui qu'il me restait sur les précédents crédits.

Concrètement, je souhaitais diminuer mes mensualités de 33 %, rembourser en plus longtemps, notamment un crédit consommation et un bien déjà vendu, avec un taux extrêmement bas à 1,50 % sur vingt ans et sans que cela ne me coûte plus cher sur le total des intérêts.

Pour finir de complexifier le tout : l'intégralité de ces nouveaux crédits devait être garantie par une prise d'hypothèque sur deux de mes appartements et ainsi rendre mes garages libres de dettes.

« Bon courage ! », ai-je pu entendre plusieurs fois lorsque j'expliquais mon plan à mon entourage. Il faut avouer qu'il m'en a fallu. Une liste pareille ressemble à la liste pour le Père Noël.

J'ai dû effectuer le tour des banques de la ville et, comme vous vous en doutez, essuyer refus sur refus. C'est d'ailleurs en procédant ainsi que j'ai pu identifier les trois seules banques adaptées aux investisseurs dans le PBF.

Bien sûr, avant d'aller à la banque avec de tels projets, j'avais vérifié que c'était possible légalement. Les deux points sensibles étaient ceux du rachat d'un crédit consommation en crédit immobilier (avec l'énorme baisse de taux attendue) et le rachat d'un crédit pour un bien dont je n'étais plus le propriétaire.

J'allais ainsi économiser 838 euros par mois et passer de 2 645 euros à 1 807 euros de mensualité.

Rachat de prêt = Mensualité divisée par deux !

Bien immobilier	Montant mensualité avant	Montant mensualité après
T2 40 m^2	375 euros	355 euros (Renégociation)
T2 44 m^2	385 euros	365 euros (Renégociation)
T3 48 m^2	353 euros	335 euros (Renégociation)
T3 55 m^2	Pas de dette immobilière (Crédit consommation : 570 euros)	458 euros (ancien crédit consommation, 4 box de garage et appartement vendu)
4 box de garage	238 euros *	Crédit totalement remboursé
Crédit Consommation	570 euros *	Crédit totalement remboursé
T2 déjà vendu	207 euros *	Crédit totalement remboursé
T2 39 m^2 occupé par ma mère	435 euros	212 euros
1 box de garage	82 euros	82 euros
TOTAL	**2 645 euros**	**1 807 euros**

J'obtiens donc une économie de 838 euros de mensualité. Soit la moitié du salaire médian en France. *Plutôt sympa !* L'essentiel de l'intérêt de l'opération se trouve dans les rachats avec des prêts qui sont passés de 1 450 euros à 670 euros ! Je ne pouvais pas le faire pour les trois premiers. *Dommage !* C'est la raison pour laquelle j'ai choisi la renégociation.

Maintenant à votre tour de restructurer votre dette. Utilisez les fichiers en annexe (ce sont les mêmes que j'ai utilisés) pour présenter vos dossiers au mieux et prenez rendez-vous à la banque ! Vous devriez gagner des milliers d'euros. Ma restructuration me fait gagner 10 056 euros chaque année. Combien la vôtre vous en fera gagner ? Si mon expérience vous permet à votre tour d'améliorer votre situation, partagez avec moi vos résultats ! Envoyez-moi un e-mail explicatif !

De mon côté, la boucle est ainsi bouclée définitivement !

— Les seuls revenus du T3 de 55 m^2 loué en courte durée permettent de rembourser l'intégralité de mes mensualités de prêt.

— Si la location de courte durée devait être moins rentable, les revenus de deux appartements suffiraient.

— Si la location de courte durée devait être moins rentable au point de décider d'arrêter, il suffirait de louer deux appartements en meublé de longue durée et deux box pour rembourser les mensualités.

— Dans tous les cas de figure, il me reste assez pour payer les mensualités et vivre de mes rentes. Et mon enrichissement se poursuit chaque mois par l'amortissement des dettes.

Cette partie est un peu technique, je le concède, mais elle pourra aider nombre d'entre vous ayant un crédit à la consommation. Car j'ai constaté que celui-ci était souvent un point bloquant pour l'obtention d'un crédit pour investir. Vous savez maintenant qu'il est possible de « transformer » un crédit consommation en crédit immobilier.

VOS NOTES

....

....

....

....

....

....

....

....

....

....

....

....

....

....

....

....

En tant que lecteur du livre *Adieu Patron : Devenir rentier en 18 mois grâce à l'immobilier*, vous avez accès au « Groupe Facebook Secret ADIEU PATRON ».

L'objectif est de réunir les lecteurs du livre les plus motivés qui souhaitent commencer ou continuer à investir dans l'immobilier. Ce groupe permettra à chacun des membres d'échanger des informations sur l'immobilier.

Parce qu'un livre ne permet pas de tout dire sur un sujet, le « Groupe Facebook Secret ADIEU PATRON » se veut être le lieu pour vous tenir informé des dernières méthodes d'investissement, des différents changements législatifs, etc. Intégrer ce groupe vous permettra d'aider les autres membres et d'être aidé vous-même en retour dans vos investissements. Vous pourrez découvrir les réussites des autres et partager les vôtres.

Je souhaite que ce groupe contienne UNIQUEMENT des membres CONVAINCUS et réellement INTÉRESSÉS par l'immobilier.

Ainsi, pour pouvoir intégrer le groupe, vous devez d'abord vous enregistrer sur mon site Internet, puis m'écrire à l'adresse e-mail indiquée plus loin et m'exposer ce que vous attendez de votre intégration.

Pourquoi la mise en place de cette procédure pour entrer dans le « Groupe Facebook Secret ADIEU PATRON » ? Parce que je souhaite être sûr et certain que seuls les véritables lecteurs du livre puissent en bénéficier.

Pourquoi un commentaire explicatif de votre attente envers ce groupe ? Parce que je souhaite être au plus près des besoins de ceux qui ont choisi la même voie que moi.

Pourquoi un groupe réservé uniquement aux lecteurs les plus motivés du livre ? Parce que si vous n'êtes pas convaincu par la possibilité de devenir rentier grâce à l'immobilier, ce groupe n'est pas fait pour vous. Les membres d'un groupe doivent partager des valeurs communes et je tiens à ce que l'intégralité des membres soit des investisseurs ou de futurs investisseurs avec un état d'esprit bienveillant.

Je fais moi-même partie de plusieurs groupes secrets et de Masterminds. Et il n'y a pas de place pour les personnes négatives. Nous échangeons pour nous tirer vers le haut, pas pour nous tirer vers le bas.

Je serai ravi de vous retrouver dans le « Groupe Facebook Secret ADIEU PATRON ».

Pour que vous puissiez devenir membre, voici la marche à suivre :

Si vous avez commandé le livre sur le site d'une librairie en ligne :

1/ Inscrivez-vous sur le site *www.romaincaillet.fr* avec votre véritable adresse e-mail et votre prénom (**la même adresse e-mail que votre compte *Facebook*, car c'est à partir de cette adresse que vous serez ajouté dans le groupe**).

2/ Sur le site de la librairie en ligne en question, prenez une capture d'écran de votre facture (ce n'est possible que si vous avez commandé le livre depuis ce site-là et cela garantit que vous seul aurez accès au groupe) avec le même nom qu'à l'inscription sur *www.romaincaillet.fr*.

3/ Envoyez-moi un e-mail à l'adresse suivante : **fbadieupatron@romaincaillet.fr.**

Cet e-mail doit contenir uniquement les informations suivantes :

En objet : « Groupe Facebook Secret ADIEU PATRON »

Dans l'e-mail :

— Votre prénom

— L'adresse e-mail d'inscription sur *www.romaincaillet.fr* (identique à celle de *Facebook*)

— La photo ou copie d'écran de votre facture.

— Un petit mot pour me dire ce que vous attendez précisément du groupe.

4/ Vous serez inclus au groupe dans les meilleurs délais.

Si vous vous êtes procuré le livre chez un libraire traditionnel :

1/ Inscrivez-vous sur le site *www.romaincaillet.fr* avec votre véritable adresse e-mail et votre prénom (**la même adresse e-mail que votre compte *Facebook*, car c'est à partir de cette adresse que vous serez ajouté dans le groupe**).

2/ Prenez une photographie du ticket de caisse.

3/ Envoyez-moi un e-mail à l'adresse suivante : **fbadieupatron@romaincaillet.fr.**

Cet e-mail doit contenir uniquement les informations suivantes :

En objet : « Groupe Facebook Secret ADIEU PATRON »

Dans l'e-mail :

— Votre prénom

— L'adresse e-mail d'inscription sur *www.romaincaillet.fr* (identique à celle de *Facebook*)

— Une preuve d'achat du livre (ticket de caisse)

— Un petit mot pour me dire ce que vous attendez précisément du groupe.

4/ Vous serez inclus au groupe dans les plus brefs délais.

UNE VÉRITABLE RENAISSANCE

Aujourd'hui, je suis définitivement libéré du salariat.

L'histoire peut paraître belle. Mais rien ne fut évident. Expulsé de chez moi à l'âge de treize ans, de la pierre, pendant six ans, je n'ai connu qu'une chambre de $15\,m^2$ pour appartement, une tôle ondulée pour toit et un hôtel meublé pour résidence.

J'aurais pu sombrer dans la délinquance et jouer les révoltés ou m'accrocher à un poste en CDI pour remercier la vie de m'avoir sorti de « l'injustice » qui s'était abattue sur moi alors que je n'étais encore qu'un enfant.

Une histoire de haine entre la société et moi aurait pu naître. Et cette haine aurait pu accoucher du pire. Pour moi, ce fut du meilleur.

L'expulsion fut ma plus grande chance. C'est parce que je me suis retrouvé en hôtel meublé que j'ai compris que rien ne m'était dû ici-bas et que rien ne me serait jamais donné. J'ai aussi découvert une autre façon de gagner de l'argent. Voir cet homme – le propriétaire de l'hôtel – passer chaque début de mois encaisser les loyers m'a permis d'envisager de vivre la vie d'une autre façon que de celle que le modèle dominant veut nous imposer à tous.

Je ne serais peut-être pas rentier aujourd'hui si je n'avais pas été expulsé de chez moi. Je ne me serais peut-être jamais éduqué financièrement si ma mère n'avait jamais eu de problème avec l'argent.

Je n'aurais peut-être pas la vie que je mène aujourd'hui si je n'avais pas eu l'envie de ne pas travailler pour le restant de mes jours. *Et c'est le plus important !* Et c'est sûrement ce qui nous fait un point commun. Il n'est pas nécessaire d'être parti de rien ou d'avoir touché du doigt la misère pour gagner un jour beaucoup d'argent et mener une vie hors-norme. C'est à la portée de tous. C'est à votre portée. Il suffit de le vouloir, de s'éduquer financièrement et de se lancer pour y arriver.

Certains considèrent que la vie n'est qu'une longue lutte. Je sais maintenant qu'elle peut être un chemin merveilleux et, sincèrement, je n'aurais jamais cru pouvoir dire ça jusqu'à il y a peu. Il doit en être tout autant pour vous. L'indépendance financière n'est pas une destination : c'est un voyage. Quand on commence, on ne s'arrête plus. Le plus dur étant, pour beaucoup, de se lancer.

Rien ne vaut l'indépendance financière et la liberté qu'elle procure. Sur le chemin de la liberté, j'ai choisi l'investissement immobilier, la plus sûre des voies.

Tout ce que j'ai fait : je l'ai fait seul. Je suis parti de moins que rien et j'ai dépensé une énergie considérable pour arriver à ce résultat. Pourtant, j'aurais pu faire beaucoup mieux et beaucoup plus vite. Il aurait fallu pour cela que je ne commette pas les erreurs que je relate dans ce livre.

Maintenant que vous connaissez mon parcours, vous avez tous les outils pour me rattraper et devenir rentier en dix-huit mois si vous le souhaitez. Le plus important étant qu'il faut bien garder à l'esprit que l'investissement est un voyage unique. Le but ne doit pas être de copier un autre investisseur, mais d'écrire sa propre histoire, de vivre sa propre vie. Je vous invite donc à adapter les leçons de ce livre à votre propre situation et à ne pas vous sentir nul, ridicule ou encore trop ambitieux si votre souhait est de devenir rentier rapidement. Encore une fois, chacun fait ce qu'il veut, comme il le veut. *C'est la liberté de l'investisseur.* Une liberté que le salariat ne vous apportera jamais.

Que vous soyez encore seul ou déjà bien entouré, je vous

invite dès maintenant à anticiper en recherchant des partenaires potentiels. Pour cela, je ne peux que vous recommander de mettre en place celle que j'appelle « la Stratégie de l'éclosion ».

Celle-ci est assez simple. Il s'agit de sélectionner des gens évoluant dans le domaine d'activité dans lequel vous êtes ou même – encore mieux – dans un domaine d'activité dans lequel vous voulez vous lancer. Sélectionner des personnes qui sont intéressées, qui ont un potentiel, des compétences, mais encore des blocages (financiers, psychologiques), qui ont besoin d'être incubées, en quelque sorte, pour pouvoir déployer leur potentiel et les faire éclore.

Vous devenez ainsi, d'une certaine manière, leur parrain. Vous les couvez, sans pour autant aller jusqu'à la becquet, mais vous apportez votre assistance, vos connaissances.

Au départ, quand ces personnes sont encore de petits oisillons, la stratégie demande un véritable investissement personnel, de don de ses compétences, sans aucune certitude de retour. Il faut les « nourrir », les protéger et parfois même partager ses gains. Il vaut mieux aimer faire cela, puisque le retour sur investissement n'est jamais certain.

Puis, il arrive le jour où certaines de ces personnes deviennent des acteurs plus importants que la moyenne dans leur domaine. Certains même deviennent de véritables aigles. Vous pouvez former une véritable escadrille qui permet d'avancer plus vite. Votre surface financière est plus grande. Vous savez, et ils savent aussi, que le risque devient quasi nul du fait de leur poids financier et du vôtre qui s'associent.

J'ai passé mon temps à faire éclore les personnes de mon entourage qui le souhaitaient. Certaines me l'ont rendu de belle manière, d'autres ont volé de leurs propres ailes vers d'autres aventures. Celles que je côtoie encore vont bientôt être indépendantes financièrement.

J'ai lu sur Internet il y a bien longtemps que « le meilleur moyen de trouver des opportunités est d'en être une soi-même pour les autres ». *Oui, cette méthode peut sembler exigeante !* Je dirais même qu'elle est extrêmement exigeante, car il s'agit de s'améliorer soi-même dans un premier temps. Mais elle vous garantit un succès hors-norme. Le premier succès est évidemment votre propre transformation. Le deuxième succès est celui de votre entourage, qu'il faudra peut-être renouveler et pour lequel il faudra accepter l'éventualité d'une réussite meilleure que la vôtre. Néanmoins, les relations humaines sont telles, et c'est ma conviction profonde, mais aussi mon retour d'expérience, que ces personnes vous le rendront. Le récit de mes investissements le prouve.

Être entouré de personnes hors-norme ne peut que vous être bénéfique.

La suite se prépare maintenant et, pour ma part, la rente et cette stratégie m'ont amené à me lancer dans des domaines dans lesquels je n'aurais jamais pensé faire affaire. C'est parce que je suis devenu rentier que j'ai du temps pour moi. C'est parce que j'ai du temps pour moi que j'ai pu m'intéresser à d'autres domaines que le mien. Pas pour avoir un revenu. Je suis indépendant financièrement. Tout ce que je fais maintenant, je le fais par plaisir. Et ce plaisir me permet de consolider encore davantage mon indépendance financière et de multiplier mes sources de revenu.

Tout cela en rencontrant des gens de tout horizon. Je m'enrichis personnellement et financièrement. L'indépendance financière est vraiment un voyage merveilleux. L'immobilier devient même un jeu. Je pourrais tout arrêter là. J'ai assez de revenu pour vivre. Mais, quand on est lancé, on ne s'arrête pas. Quand on devient indépendant financièrement, on s'aperçoit que la vie est longue et qu'on a les moyens de bien la remplir.

Ne vivre qu'une fois n'est plus un problème.

Alors, qu'est-ce que vous attendez ?

Vous avez un problème ? C'est qu'il y a une solution.

Vous voulez une solution ? Créez-vous un problème !

Maintenant, vous savez tout ce qu'il faut pour réussir.

À vous de jouer !

Maintenant que vous êtes parvenu à la fin de ce livre, je vous invite à refaire le tableau des blocages afin de mesurer vos progrès.

Blocages	Ai-je une influence dessus ?	Que faire ?	Quand ?

COMMENT SE PRÉSENTER SOUS SON MEILLEUR JOUR À LA BANQUE

Dans le dernier chapitre du livre, j'explique comment j'ai restructuré mes dettes. Voici le document que j'ai utilisé PERSONNELLEMENT et COMMENT j'ai expliqué les choses pour faire comprendre au banquier qu'il n'y avait qu'une SEULE MANIÈRE DE TRAITER MON DOSSIER.

L'objectif de ce document est de présenter les points forts de votre situation et de votre projet pour obtenir un financement plus simplement en facilitant le travail de celui qui va instruire votre dossier de financement.

J'ai volontairement laissé le fichier modifiable pour que vous puissiez l'adapter à votre situation personnelle et présenter vos points forts.

Il n'est pas nécessaire de faire des présentations *PowerPoint* dignes d'un INGÉNIEUR AÉROSPATIAL. Le banquier a besoin des chiffres de votre situation et de l'opération ! Le reste est superflu.

1. RÉSUMER votre situation financière et personnelle.

2. PRÉSENTER ce que vous attendez de la banque.

3. POURQUOI vous voulez réaliser ce projet. Mettre en avant les CONTRAINTES que vous imposez à la banque et les POSSIBILITÉS acceptables.

BONUS

CAILLET Romain : Rachat de crédits
06 XX XX XX 20

I. Synthèse Revenus, Dettes et Patrimoine

Revenu : Moyenne de XX XXX euros mensuels (Juin 2016 : XX XXX euros / Juillet 2016 : XX XXX euros/ Août 2016 : XX XXX euros).

Mensualité dette immobilière : XXX euros / prêt personnel : XXX euros.

Trésorerie : XX XXX euros.

Patrimoine immobilier Brut : XXX XXX euros / Dettes immobilières : XXX XXX euros

Patrimoine immobilier net de dettes : XXX XXX euros.

Patrimoine net total : XXX XXX euros.

Patrimoine immobilier géré en direct et sans aucun impayé depuis X ans.

II. Objet de l'étude

1/ Étude du rachat de deux prêts immobiliers et un prêt personnel de la banque XXXXX.

Prêt immo mensualité de XXX euros (CRD XX XXX euros) T1/2 rdc 40 m², 17 bd XXXXXXXXXX 13002.

Prêt immo mensualité de 238 euros (CRD XX XXX euros) / 4 box de garages, 119 rue XXXXXXXXXXX 13003.

Prêt personnel, mensualité de 570 euros (CRD XX XXX euros) : utilisation des possibilités de la loi LAGARDE/SCRIVENER pour intégrer ce crédit dans un rachat de prêt immobilier.

2/ Évaluation des possibilités de prêts bancaires par votre établissement pour achat immobilier dans les 3 mois à venir. Les investissements envisagés auront tous une couverture d'au moins 150 % et des rentabilités brutes comprises entre 12 et 20 %. Ils seront principalement orientés vers les parkings, appartements meublés et murs de magasin.

3/ Étudier la possibilité pour votre établissement de me suivre sur mes futurs investissements en SASU.

III. Objectifs, impératifs et possibilités

Objectifs :
- Diminuer mon imposition globale.
- Diminuer mes mensualités de crédits actuelles.
- Dégager de la trésorerie afin d'avoir un capital permettant d'envisager des opérations plus conséquentes.
- Transformer le prêt personnel en prêt immobilier.

Impératifs :
- Aucun apport personnel pour un accroissement de la trésorerie qui sera votre meilleure garantie de ma solvabilité, possibilité de financement de travaux et mobilier.
- Avoir une seule banque pour mes opérations d'investissement (d'ici 3 mois). Certains crédits resteront dans les banques concernées et des virements seront mis en place depuis votre établissement afin d'alimenter les comptes.
- Financement d'achat immobilier dans le cadre d'une SASU avec emprunt sur 20 ans sans apport.

Possibilités :
Ouvert à tout type de montage financier/propositions adaptées au développement d'un patrimoine rentable.

BONUS

NOM : ....

PRÉNOM : ....

N° de téléphone : ....

@ ....

I. Synthèse Revenus, Dettes et Patrimoine

Revenu : ....

Mensualité dette immobilière : ....

Trésorerie : ....

Patrimoine immobilier brut : ....

Dettes immobilières : ....

Patrimoine immobilier net de dettes : ....

Patrimoine net total : ....

Patrimoine immobilier géré en direct et sans aucun impayé depuis X ans.

II. Objet de l'étude

....

....

....

III. Objectifs, impératifs et possibilités

Objectifs

....

....

....

Impératifs

....

....

....

Possibilités

....

....

....

REMERCIEMENTS

Je tiens à remercier toutes les personnes qui ont participé de près ou de loin à la réalisation de cet ouvrage, les membres de mon premier MasterMind à Marseille, ceux de mon Mastermind actuel, certains intervenants du milieu immobilier, et plus particulièrement :

Patrick Andrieu, Cédric Annicette, Samia Bara, Jean-Luc Becker, Kamal Boumour, Margaux Bonnet, Alexandra Calta, Catherine Ferraci, Xavier Garros, Kim Georges, Denis Harrang, Théophile Hémon, Thierry Julien, Gaston Hakim Lastes, Gisèle Laveissière, Romain Lemaire, Aurélien Martinaggi, Carole Martinez, Smaine Namoune, Nancy Notin, Aélis Pallas, Lucie Pallas, Soli Paterson, Quy Pham, Jérôme Pinard, Arnaud Priest, Éric Quaranta, Patrick Rastelli, Anne Ricard, Sébastien Rousseau, Fernando Rufino, Albane Tougeron, ainsi que Jean-Claude Van Damme, auteur de la citation présente en page 39.

www.romaincaillet.fr

CONTACTER PACA ÉDITIONS

Pour joindre nos auteurs ou proposer votre manuscrit, vous pouvez nous écrire à :

PACA ÉDITIONS

10, rue de la République

13001 Marseille France

www.pacaeditions.fr

PACA ÉDITIONS

© PACA ÉDITIONS, 2017

ISBN 979-10-97216-00-9

Achevé d'imprimer par Corlet, Imprimeur, S.A. - 14110 Condé-sur-Noireau
N° d'Imprimeur : 189953 - Dépôt légal : mai 2017 - *Imprimé en France*